LES FRANÇAIS
SOUS VICHY
ET L'OCCUPATION

PIERRE LABORIE

LES ESSENTIELS MILAN

Sommaire

Les mots suivis d'un astérisque (*) sont expliqués dans le glossaire.

JOURS D'ÉPREUVE

Entre 1940 et 1944, la France traverse une des plus grandes tragédies de son histoire. Dans un pays humilié par une terrible défaite, mutilé par l'armistice, soumis à une occupation de plus en plus implacable, les Français se déchirent. Révélée par les conflits et les aveuglements des années 1930, la crise d'identité nationale atteint alors son paroxysme et se trouve amplifiée par l'immense désarroi des repères perdus. Elle touche aux intensités de la conscience collective, aux fondements de l'idée de patrie et de nation, à l'héritage des Lumières et aux valeurs de la République, aux rudes questions de l'honneur, de l'indignité et de la trahison.

Le temps n'a pas effacé toutes les cicatrices. La mémoire remet à vif de vieilles blessures et les jugements sur la période butent souvent sur les certitudes contraires des passions.

Sans céder à la facilité des indignations vertueuses, ce petit livre voudrait essayer de faire comprendre ce qui pouvait se passer alors dans les têtes et les cœurs, pour le plus grand nombre. Puis, au-delà, de réfléchir sur les chemins et les masques du renoncement. Si l'histoire de ces années est douloureuse à la mémoire, si elle est faite de trop d'indifférences et d'opportunismes médiocres, parfois de bassesses répugnantes, la complexité du temps ne se réduit pas pour autant aux ombres grises du *Chagrin et la Pitié**. En dépit de tout, des gestes éblouissants de lumière et des refus irréductibles ont continué à témoigner de l'espoir du monde.

À Paris, en juillet 1941, la Chambre des députés
sert de vitrine à la propagande arrogante
de l'Allemagne, sûre de sa victoire.
Sous le V des vainqueurs, la banderole
affirme : l'Allemagne gagne
sur tous les fronts.

DEUTSCHLAND SIEGT AN ALLEN FRONTEN

Avant-propos : usages du passé

Avec tout ce que cela signifie
d'émotion, d'amnésies et de sensibilité
aux interrogations du présent,
il y a plus de mémoire que d'histoire
dans la façon dont les Français pensent
Vichy et l'Occupation.

Complexité

Les années noires occupent une place exceptionnelle dans la mémoire collective, en intensité et en durée. La dimension des événements se mêle aux enjeux de mémoire pour multiplier les interférences entre passé et présent et semer le trouble. Cette complexité de lecture exclut une approche naïve de la période et fait de l'exigence critique la règle. Impossible ainsi d'aborder cette histoire sans s'interroger sur le contexte des interprétations divergentes qui se sont succédé, sur le sens avec lequel elles ont été construites, reçues et comprises. Immense sujet. Avec des perspectives plus modestes, la relation inquiète que les Français entretiennent avec les ombres de Vichy touche directement à la question des usages du passé au présent. Quelques brèves remarques voudraient inciter à y réfléchir.

Mémoire et Histoire

Indispensables à l'élucidation du passé, souvent confondues, elles n'obéissent pas à la même logique et ne répondent pas au même objet. Fidélité et vérité ne coïncident pas toujours. L'attachement émotionnel et intangible à une communauté de souvenirs ou l'affirmation identitaire, ressorts de la mémoire, ont besoin de certitudes. Elles ne ressortent pas toutes intactes de leur confrontation avec la rigueur méthodique de l'Histoire.

l'effondrement | la France seule | réalités de la France de Vichy

Une histoire vécue au présent

L'histoire des années 1940 n'en finit pas d'être lue au présent. Tous les travaux se veulent démarche de vérité, démystification des silences, traque des oublis et des mensonges. Il faut bien observer qu'ils sont aussi, parfois exagérément, des miroirs du temps présent et de ses préoccupations. Ils reconstruisent, placent au centre des problèmes qui n'y étaient pas, jouent sur les anachronismes de pensée. Trop souvent l'auscultation du passé y est menée à l'envers, à travers une sensibilité et un savoir d'aujourd'hui, sans écarter du regard un futur qui nous est connu, mais qui était imprévisible pour les contemporains.

Un monde devenu étranger

La proximité du temps donne l'illusion de la familiarité. Accentuée par l'actualité de ce passé indéfiniment recyclé, elle entraîne des bévues. Ceux qui ont vécu ces années de plomb nous semblent proches, mais ils nous sont en réalité profondément étrangers. Ils ont traversé les fureurs de l'Histoire avec des codes culturels, des mots, des façons d'être et de sentir qui les situent à des années-lumière de nous. Essayer de comprendre implique de retrouver les clés égarées d'un rapport au monde fondamentalement autre, de penser ce temps disparu dans son étrangeté.

Une France moyenne introuvable

La notion de comportements ordinaires caractéristiques d'une France moyenne est fragile. Des milliers de situations singulières infirment tout essai de généralisation et de modélisation. Dans la France multiforme de Vichy, le Français moyen est une réalité introuvable. Abstraction d'historien, elle ne vaut que comme outil pour mesurer les évolutions, situer les ruptures et discerner les basculements dans les représentations collectives.

Avec humilité, l'historien saisit ici l'importance de l'écart entre la construction exigeante du savoir et sa transmission. Des convictions et des solidarités tiennent lieu de vérité. L'appropriation du passé semble moins passer par l'Histoire que par le détour de ses usages.

Pacifismes et aveuglements

On peut affirmer que Vichy est né
de la défaite, de l'armistice et du vote
qui met fin à la IIIe République.
Cette vérité ne détient qu'une part
de vérité. Vichy est plus que le produit
d'événements exceptionnels, beaucoup plus
et autre chose qu'un accident de l'Histoire.

*« L'horreur de
la guerre anime
les hommes de ma
génération. Ils ont
eu vingt ans dans
les tranchées. »*
**Robert Lazurick,
15 mars 1939.**

Le basculement de 1938

Aussi violente soit la rupture, tout ne commence pas,
dans les têtes, en juin 1940. Sans tomber dans les
pièges du déterminisme et des lectures à l'envers,
il faut interroger les blessures, les rêves et les désen-
chantements de l'entre-deux guerres. Dans le climat
qui se tend avec les turbulences des années 1930,
1938 indique une accélération décisive. Après la
chute de Léon Blum et une succession d'échecs,
Édouard Daladier devient président du Conseil
le 10 avril 1938 pour « remettre la France au travail ».
Appuyé par une partie de la droite, il tourne la page
du Front populaire et dirige le pays pendant près
de deux ans avec une continuité de pouvoir exceptionnelle pour la période.

Peurs et dérèglements

L'aggravation des problèmes extérieurs domine les
dernières années de la décennie. Aussi considérables
soient-ils, ils ne doivent pas faire écran et masquer
d'autres réalités. À l'intérieur, les passions partisanes
s'alimentent aux multiples réseaux de la peur et
brouillent les repères. L'exploitation
politique du refus viscéral de la guerre,
de la xénophobie, de la judéophobie, de
l'anticommunisme ou des événements
d'Espagne fait le lit de l'irrationnel.

Premier camp
Le premier camp pour « étrangers
indésirables » ouvre en février
1939 à Rieucros, en Lozère.

l'effondrement   la France seule   réalités de la
France de Vichy

Avec les replis frileux et les aveuglements des visions sectaires, ces dérives créent la confusion et détournent l'attention des véritables dangers.

Le brouillage de Munich

Entre autres faits, la crise de Munich* instruit sur les ambiguïtés du temps. Au retour de la conférence où il a abandonné la Tchécoslovaquie, Édouard Daladier est acclamé comme sauveur de la paix. Obscurci par les motivations contradictoires d'un puissant courant pacifiste, le débat sur Munich cultive le trouble. Le camp favorable à la conciliation avec l'Allemagne nazie regroupe, pour des raisons différentes, toutes les sensibilités politiques, à l'exclusion des communistes. On y trouve les sympathisants des fascismes, mais aussi ceux qui, par réalisme ou par idéal, veulent éviter à la France une nouvelle épreuve jugée suicidaire. Il faut y ajouter les pacifistes inconditionnels, de gauche et d'extrême gauche, étrangement rejoints par la droite extrême, qui crie au complot belliciste de « *l'internationale judéo-bolchevique* ». Autre symbole de la confusion ambiante, moins d'un mois après le pogrom de la nuit de Cristal*, Ribbentrop est officiellement reçu à Paris le 6 décembre.

Un fragile sursaut

Les premiers signes d'un sursaut ne viennent que tardivement, au printemps 1939, quand l'entrée des Allemands à Prague dissipe les illusions. La France en tire les conséquences. Peu après l'énorme surprise du pacte germano-soviétique*, elle déclare la guerre à l'Allemagne le 3 septembre 1939. L'événement ne suscite aucun élan comparable à l'Union sacrée de 1914. Les mobilisés font leur devoir, plus résignés que résolus. Ce consentement à l'inévitable révèle une usure morale et une fragilité du tissu national dont peu de Français, alors, ont une conscience claire. On en mesurera seulement l'ampleur après l'effondrement de 1940.

« *J'ai vécu les années trente dans le désespoir de la décadence française, avec le sentiment que la France s'enfonçait dans le néant. Au fond, la France n'existait plus. Elle n'existait que par les haines des Français les uns contre les autres.* »
Raymond Aron,
Le Spectateur engagé,
Julliard, 1981.

La mémoire traumatique de la Grande Guerre et la hantise d'un nouveau massacre handicapent lourdement la capacité des Français à affronter avec lucidité la confusion des années 1930.

Attentes et désastre

Aussi forte soit-elle, la religion de la paix n'autorise pas à opposer schématiquement convictions pacifistes et patriotisme. De multiples exemples attesteront du contraire. Les évolutions de 1939 laissaient espérer un raffermissement des esprits, mais l'apathie de la « drôle de guerre » en marque les limites.

Paris, mars 1940, dans un abri. Depuis 7 mois, la France est en guerre sans faire la guerre. Les Français attendent et les exercices de défense passive semblent se dérouler dans un mode irréel.

Naufrage

Le bilan meurtrier des combats dément le cliché sur la débandade de l'« Armée Ladoumègue » (en référence au célèbre coureur de fond). En juin, quand ils ont été bien commandés, les hommes se sont battus avec acharnement, malgré l'infériorité du nombre et du matériel. 45 000 Allemands ont été mis hors de combat et, côté français, le rythme des pertes a dépassé celui des grandes batailles de 1914-1918.

Anesthésies

En septembre 1939, la France entre en guerre mais ne fait pas la guerre. La Pologne, isolée, écrasée en trois semaines, subit la double occupation de l'Allemagne et de l'URSS. En France commence alors une étrange période d'inactivité militaire, une situation floue de non-guerre que le pays comprend mal. Au sommet, derrière une solidarité de façade, les clans se divisent sur les choix : volonté de tout sacrifier à la guerre ou politique d'apaisement, ou même priorité à la lutte contre « l'ennemi intérieur » (interdiction du Parti communiste le 26 septembre). Le refus d'énoncer clairement des buts de guerre témoigne de l'indécision et provoque la fureur de ceux qui s'efforcent de rester lucides. Saint-Exupéry prévient : « *Ce pays est foutu si on ne lui trouve pas de vraies raisons de se battre.* » La propagande ennemie exploite le trouble avec des effets d'autant plus pernicieux que, la Pologne anéantie, le danger n'est pas perçu comme immédiat. À la différence de 1914, le sol de la patrie ne semble pas directement menacé.

La drôle de guerre construit un univers émollient aux attentes incertaines et lasses. Les permissionnaires sont fêtés et on plante des rosiers le long de la ligne Maginot*…

l'effondrement   la France seule   réalités de la France de Vichy

La stratégie répond aux inquiétudes : ne pas brusquer les événements, ne pas ranimer les fantômes des charniers, éloigner le « *feu qui tue* ». Ainsi, loin d'avoir servi à renforcer les certitudes d'une fermeté retrouvée, les huit mois de drôle de guerre anesthésient les volontés et éloignent les Français du monde réel.

La bataille perdue

La guerre éclair provoque un réveil douloureux. Elle commence le 10 mai 1940 contre les Pays-Bas et la

Si 370 000 soldats alliés – dont 139 000 Français – ont pu être évacués lors de la bataille de Dunkerque, qui finit le 4 juin, les Allemands font plus de 80 000 prisonniers et s'emparent d'une quantité considérable de matériel moderne.

Belgique, mais la Wehrmacht concentre son offensive dans les Ardennes, point faible du dispositif allié. Le front est rompu dès le 15 mai. Appuyés par une aviation qui obtient très vite la maîtrise du ciel, les blindés allemands ouvrent des brèches et sèment la panique dans les lignes de défense françaises. Menée avec rapidité, une manœuvre d'enveloppement permet d'encercler les armées du Nord. Le piège se referme sur 500 000 soldats alliés, entassés sur les plages de Dunkerque, dos à la mer. Le remplacement de Gamelin par Weygand, en pleine bataille, ne change pas le cours des choses. Le front craque et l'ordre de repli est donné le 12 juin, deux jours après l'entrée en guerre de l'Italie et le départ du gouvernement de Paris. Tout se précipite : les Allemands sont à Paris le 14 juin, le 19 sur la Loire, à Lyon le 20 juin, dans la région de Bordeaux le 22 juin. Les unités de la ligne Maginot, prises à revers, cèdent à leur tour.

La débâcle

L'écrasement de l'armée et l'invasion du territoire qui se poursuit jusqu'à l'armistice tournent au désastre. Un désastre incommensurable qui fait plus de 90 000 morts et 200 000 blessés chez les soldats, qui livre 1 850 000 prisonniers aux vainqueurs, que Marc Bloch décrira, dans *L'Étrange Défaite*, comme le « *plus atroce effondrement de notre histoire* ».

Pendant la « drôle de guerre », les logiques déprimantes de l'attente érodent les énergies et émoussent le sursaut amorcé. La brutalité inouïe du désastre militaire met la France en état de choc.

De l'exode au naufrage

Les paniques de l'exode mettent en évidence la gravité de la crise de la nation. Les Français, anéantis, limitent en majorité leur horizon à la fin du cauchemar, quel qu'en soit le prix. Il sera lourd.

« Je me souviens avoir dit qu'on avait l'impression de porter la France en terre, mais que sans doute la France était morte en 1918 et que nous n'en avions rien su. Ce qui était perdu, c'était une façon d'être, de voir, de vivre ; avait sombré notre Atlantide. »
Julien Green,
La Fin d'un monde,
Seuil, 1992.

« Nulle part je n'ai vu sur les routes les traces de la guerre, mais partout les traces de la panique, voitures abandonnées, pillées. Il n'y a pas eu de guerre. La peur l'avait rendue impossible. »
Jean Guéhenno,
4 septembre 1940,
Journal des années noires.

Le chaos

La défaite des armées n'est qu'un aspect de l'effondrement général. C'est tout un édifice qui s'écroule, *La Fin d'un monde* pour Julien Green. On en découvre la violence à travers le mouvement de panique collective qui précipite aveuglément les populations vers l'ouest et le sud. Cette nouvelle « Grande Peur* » forme la toile de fond d'une déroute inimaginable. Elle révèle avec brutalité la précarité de l'armature sociale et l'état de décomposition dans lequel le pays semble s'enfoncer.

L'exode tourne vite à la cohue tragique d'une course éperdue. La photographie et le cinéma en ont fixé les images les plus poignantes. La mémoire de l'invasion de 1914 et de ses fureurs, la hantise des bombardements et, plus que tout, les peurs alimentées par une multitude de rumeurs dévastatrices expliquent, pour une part, la démesure d'un événement sans précédent. Huit millions de personnes au moins abandonnent tout et fuient dans des conditions d'improvisation indescriptibles sous la menace des avions ennemis.

Le ressentiment

L'épuisement, le dénuement, l'épouvante et la détresse des familles disloquées n'expriment pas que le désarroi. La population se sent abandonnée et elle vit les innombrables drames du quotidien avec un profond ressentiment. L'armée ne la protège plus, trop de responsables et de notables ont mis la clé sous la porte. Les repères cèdent, tout semble aller

l'effondrement   la France seule   réalités de la France de Vichy

à vau-l'eau. Même si nous savons aujourd'hui qu'il n'en a pas été partout ainsi, c'est la représentation d'un pays au bord du gouffre qui domine, amplifiée par les récits des réfugiés.

Le désespoir et la souffrance de l'exode font resurgir et renforcent des angoisses latentes. Elles portent leur logique politique et, en juin 1940, tout se résume vite à une demande obsessionnelle : que le cauchemar prenne fin. Le vertige du vide et le spectacle du chaos tiennent lieu de raison pour un peuple déboussolé. Présenté comme la seule solution de survie, l'armistice trouve dans la dimension humaine du naufrage une justification que les pétainistes vont savoir exploiter. La voie est ouverte à d'autres consentements.

Cette photo de l'exode, avec sa file sagement ordonnée au milieu d'une campagne paisible, ne donne qu'une image lisse de l'immense cohue provoquée par l'ampleur du mouvement de panique.

La renonciation

Depuis son départ de Paris, le gouvernement est divisé sur la question de l'armistice. Le maréchal Pétain et Weygand rejettent catégoriquement le choix d'une capitulation militaire qui permettrait à la France de poursuivre la lutte hors de l'Hexagone, avec la Grande-Bretagne. Pour eux, l'armée n'a pas à porter la responsabilité de la défaite. La renaissance de la France ne peut venir que d'elle-même, dans la souffrance acceptée, et quitter le pays serait déserter. C'est ce point de vue qui l'emporte au bout d'une retraite éprouvante qui s'achève à Bordeaux, où Paul Reynaud démissionne le 16 juin. Philippe Pétain le remplace immédiatement et annonce, le lendemain, qu'il faut cesser le combat. L'expression, maladroite, paralyse les dernières énergies et les Allemands, en toute tranquillité, font des centaines de milliers de prisonniers.

Hostile à l'armistice, le général de Gaulle rejoint Londres, d'où il lance, le 18 juin, son appel à la résistance.

L'effondrement de la France est immense, sans précédent. C'est dans un pays au bord de l'abîme que le maréchal Pétain impose le choix politique de l'armistice et succède à Paul Reynaud.

L'armistice, une rupture fondatrice

L'armistice est plus que l'organisation d'une France soumise, déchiquetée, moralement déprimée. Il marque une rupture politique décisive dans son histoire.

La loi du vainqueur

Tout juste formé, le nouveau gouvernement fait connaître à l'Allemagne son intention de négocier. Le 17 juin, dans une allocution à la radio qui soulève une forte émotion, Philippe Pétain, « *le cœur serré* », fait part aux Français de sa volonté de mettre fin aux hostilités.

Sans avoir été véritablement discuté, l'armistice est signé le 22 juin à Rethondes, à l'endroit et dans le wagon où celui du 11 novembre 1918 avait été conclu. Complété par une convention avec l'Italie, en guerre depuis quelques jours, il entre en vigueur le 25 juin.

Les 25 articles du texte installent le triomphe du vainqueur. Sans pouvoir être comparées au sort imposé à la Pologne, les clauses sont sévères et beaucoup se révéleront désastreuses. Non seulement les Français doivent subir la présence ennemie, mais ils doivent aussi verser des sommes considérables pour l'entretien des troupes d'occupation, sans rapport avec la réalité. Pour l'essentiel, la France, muselée, mutilée, morcelée, n'est plus une puissance européenne. Sans armée, elle ne conserve que 100 000 soldats pour le maintien de l'ordre. Elle doit livrer la plus grande partie de son matériel

Le territoire français après l'Armistice

l'effondrement la France seule réalités de la France de Vichy

de guerre et procéder au démantèlement de son système de défense. La flotte de guerre, désarmée, est dispersée dans différents ports. La libération des prisonniers de guerre est reportée à la conclusion de la paix, et près de 1 600 000 hommes partent en Allemagne. Ces absents vont devenir des pions du jeu politique, otages pour le Reich, moyen de pression sur l'opinion pour le nouveau régime.

La mutilation

Le territoire n'est pas épargné. La France est découpée en morceaux, avec deux grands blocs et diverses portions aux statuts particuliers. C'est le cas pour les départements du Nord et du Pas-de-Calais, rattachés au gouvernement militaire de Bruxelles, pour l'Alsace et la Moselle, germanisées puis annexées, ou encore pour les zones interdite et réservée. Au nord et à l'ouest, la zone occupée comprend la partie la plus étendue, la plus riche et la plus peuplée du pays. Elle est séparée de la zone dite libre par une ligne de démarcation* étroitement surveillée. Le Reich y exerce « *tous les droits de la puissance occupante* » et l'administration française de ces régions, contrainte de coopérer avec les services ennemis, se retrouvera vite confrontée à des situations intenables. Si la souveraineté française est reconnue dans la zone libre, le gouvernement s'est plié à une obligation particulièrement humiliante : il devra livrer des réfugiés politiques antinazis.

Un acte fondateur

L'armistice met fin aux combats, mais sa signification et ses effets vont au-delà : il s'agit d'une rupture historique fondamentale. Si la convention fixe les contraintes du nouveau cadre de vie des Français, le consentement à la défaite prépare un revirement politique décisif. Certes, le nouveau régime n'a pas encore d'existence officielle. Dans les faits, pourtant, annoncée avec l'arrivée de Pétain à la tête du gouvernement, la naissance de la France de Vichy date de l'acte fondateur du 25 juin.
En sens opposé cette fois, l'armistice dénoncé, refusé, fonde lui aussi l'engagement et la révolte des premiers résistants.

« Je suis d'avis de ne pas abandonner le sol français et d'accepter la souffrance qui sera imposée à la Patrie et à ses fils. La Renaissance française sera le fruit de cette souffrance. Je me refuserai à quitter le sol métropolitain ; je resterai parmi le peuple français pour partager ses peines et ses misères. L'armistice est à mes yeux la condition nécessaire de la pérennité de la France éternelle. Je fais à la France le don de ma personne pour atténuer son malheur. »
Philippe Pétain, 13 et 17 juin 1940.

L'armistice raye la France du rang des puissances, mais il devient un événement fondateur pour les deux visions opposées du futur.

La mort de la République

Le désarroi, l'incompréhension et le sens donné à l'anéantissement de 1940 exacerbent les phénomènes de rejet. Ils précipitent la liquidation organisée de la République.

Une fin annoncée

L'armistice a ouvert la voie au changement de régime. Pour les nouveaux dirigeants, la République porte la responsabilité de la défaite et ne doit pas lui survivre. Qui plus est, son existence est incompatible avec le projet de révolution culturelle : le redressement intellectuel et moral que le Maréchal tient pour une priorité exige l'instauration d'un ordre nouveau.

Au moment où tout se délite, un événement tragique augmente le désespoir et sert la cause du Maréchal. Le 3 juillet, la flotte britannique attaque des bâtiments de guerre français à Mers el-Kébir* et fait 1 300 morts parmi les officiers et les marins.

Dernier acte

Depuis le 29 juin, le gouvernement est installé à Vichy. Les députés et sénateurs y sont convoqués pour se prononcer sur une révision constitutionnelle, à l'initiative de Pierre Laval. De fortes pressions s'exercent sur les parlementaires, entre intoxication, chantage et séduction. Sur fond d'intrigues et de violentes diatribes contre les hommes du Front populaire, elles exploitent le sentiment de culpabilité et la mollesse qui paralysent une grande partie de la classe politique.

Le dernier acte se joue au théâtre, le 10 juillet. Par 569 voix contre 80 et 20 abstentions, le maréchal Pétain obtient tous les pouvoirs constitutionnels. La IIIᵉ République se saborde et sombre dans les abdications médiocres des élites, à l'exception des « quatre-vingts » (*voir* brève ci-contre).

Les « quatre-vingts » opposants

Sur les 80 opposants, 57 députés et 23 sénateurs, 74 appartiennent à des groupes de gauche, 6 à des groupes du centre ou de la droite. Parmi ces « quatre-vingts », Vincent Auriol, Vincent Badie, Léon Blum, Jules Moch, Paul Ramadier.

l'effondrement | la France seule | réalités de la France de Vichy

En juillet 1940, les parlementaires français enterrent la République au théâtre de Vichy et les Allemands célèbrent spectaculairement leur victoire à Paris, sur les bancs de la Chambre des députés.

Méprises

Dès le lendemain, les premiers actes constitutionnels légalisent la création de l'« État français ». À sa tête, un vieillard de 84 ans exerce une autorité sans partage et impose trois nouveaux symboles : travail, famille, patrie.

La naissance du régime de Vichy est bien le produit de la défaite et de ce qu'elle charrie ou révèle de démissions, mais aussi de détournements de responsabilité habilement utilisés auprès d'une nation effondrée. La confiance ainsi accordée au soldat prestigieux et au patriote « *irréprochable* » repose sur une première méprise, aux frontières de l'abus de confiance. En effet, à la différence de ce que le nouveau pouvoir va s'évertuer à répéter, la défaite ne vient pas des tares d'une démocratie décadente. La cause majeure tient aux graves insuffisances du haut commandement. Enfermés dans la théorie du front continu et la paresse de conceptions routinières, les militaires ont été dépassés par les innovations de la stratégie adverse. Incompétence aggravée par de stupéfiantes carences dans le commandement au début de l'offensive. Il reste que le désastre a été d'autant plus lourd qu'il était inconcevable. Les Français se croyaient à l'abri derrière une ligne Maginot* infranchissable et vivaient avec la certitude d'être défendus par « *la meilleure armée du monde* ».

Amnésie

La mémoire ne s'attarde pas sur la décomposition de la nation et de ses élites, jusqu'à gommer la portée de l'événement et s'interdire ensuite de comprendre. « *Quel que puisse être le succès final, l'ombre du grand désastre de 1940 n'est pas prête de s'effacer* », prévenait pourtant Marc Bloch, historien et témoin de l'année terrible (*voir* Notice biographique).

Une classe politique en déliquescence, les manœuvres de Laval et le conditionnement organisé des esprits permettent le vote suicidaire du 10 juillet 1940 Le maréchal Pétain devient le chef de l'État français, avec tous les pouvoirs

occupants et occupés | 1944 : les mois les plus longs | approfondir

Souffrir et expier

Les Français n'en ont pas fini avec l'humiliation. L'espace public est écrasé par un message envahissant : la défaite est une punition méritée, l'examen de conscience, le repentir et l'acceptation de la souffrance sont les conditions du salut.

Le châtiment

Le discours de Vichy ne voit pas dans le désastre l'événement imprévisible d'une histoire tragique, mais le reniement des valeurs ancestrales de la nation, l'aboutissement du refus de l'effort et de l'esprit de sacrifice. L'effondrement sanctionne les relâchements fautifs du passé.

L'idée du châtiment mérité, du repentir nécessaire et des vertus réparatrices de la souffrance appartiennent au climat de la France de la défaite et témoignent de son malaise. Les thèmes reviennent en permanence dans la parole du pouvoir. La France est coupable, elle doit expier. Pendant les semaines dramatiques du mois de juin, Weygand et Pétain dénoncent plusieurs fois « *l'esprit de jouissance* ». Les malheurs de la France résultent de la facilité et de la perte du sens de l'effort. Sa renaissance passe par la souffrance, par la reconnaissance et la conscience des erreurs : « *Vous avez souffert, vous souffrirez encore.* [...] *Votre vie sera dure* », martèle le Maréchal. Le royaume étriqué de Vichy devient la France du *mea culpa*. Des voix autorisées appellent à se « *frapper la poitrine* », au « *consentement des sacrifices* » ou même au « *crucifiement nécessaire* ». L'examen de conscience, l'auto-flagellation et la mortification collective sont dans l'air du temps, parfois jusqu'au pire. C'est avec une délectation à peine masquée que certains se plongent dans le rappel journalier de la honte et de l'abaissement.

« Pour avoir chassé Dieu de l'école, des prétoires de la nation,
Pour avoir supporté une littérature malsaine, la traite des Blanches,
Pour la promiscuité dépravante des ateliers, des bureaux, des usines, Seigneur, nous vous demandons pardon.
Quel usage avons-nous fait de la victoire de 1918 ?
Quel usage aurions-nous fait d'une victoire facile en 1940 ? »
Mgr Saliège,
La Croix,
28 juin 1940.

l'effondrement | la France seule | réalités de la France de Vichy

La France a péché

Avec d'autres mots, la thématique de la nation coupable est reprise et amplifiée par l'Église catholique, qui retrouve influence et présence. Le malheur et le désarroi raniment en effet le sentiment religieux. Une intense ferveur

> « *Certains journaux de Paris nous replongeaient chaque matin dans notre fange de la veille et nous rappelaient que nous étions écrasés.* »
> **Jacques Benoist-Méchin,**
> *De la défaite au désastre,*
> **Albin Michel, 1984.**

remplit les églises et grossit les foules de pèlerins. Elle redonne vie à des sanctuaires désertés, à des traditions oubliées et à des pratiques délaissées. Parallèlement à ce regain de spiritualité, des superstitions et de vieilles prophéties reviennent en force. Dans tout le pays, prêtres et prélats retrouvent les mots et les accents des lendemains de la défaite de 1870, et de la Commune impie, pour demander une purification et justifier la valeur rédemptrice de l'expiation. La France a péché et sa défaite est une punition divine. L'archevêque de Toulouse, Mgr Saliège, demande pardon à Dieu pour les errements du passé et s'interroge publiquement sur l'usage qui aurait été fait d'une victoire facile. Le 31 août, le cardinal Gerlier, au nom de ses pairs, déclare qu'il importe de « *montrer au peuple le rôle providentiel et bienfaisant de la défaite* ». Face à cette pression écrasante, en dehors des tout premiers résistants, rares sont ceux qui restent dignes. François Mauriac en est. Il refuse de « *condamner en nous ce qui n'était pas condamnable* » et ajoute : « *Il n'y a pas à rougir d'avoir chéri la liberté, mais seulement de l'avoir mal défendue* » (« Ne pas se renier », *Le Figaro*, 23 juillet 1940).

Le recours

Dans cette atmosphère d'accablement où le deuil, la honte et la culpabilisation se mêlent à des élans d'espérance, le pays cherche refuge derrière l'homme réputé « insoupçonnable » et présenté de partout comme le seul et ultime recours.

> Avec l'appui de l'Église, le nouveau pouvoir amplifie et exploite le sentiment de culpabilité des Français. Tout concourt à faire accuser le proche passé et à le renier.

Philippe Pétain, le sauveur

La figure mythique du sauveur, la mémoire de 1914-1918, le choc des événements, les humiliations et les peurs fabriquent la nature particulière de la relation qui se noue, en 1940, entre le vainqueur de Verdun et un peuple déboussolé.

« *Au maréchal Pétain qui s'est sacrifié pour permettre, nouveau Christ, la rédemption de la France vaincue.* »
Pierre Taittinger, *Les Leçons de la défaite,* **Imprimerie charentaise, Angoulême, 1941.**

Images d'Épinal

L'image du chef incarne le régime autoritaire de Vichy. La personnalisation du pouvoir y atteint un sommet, dans l'esprit d'une tradition monarchique à laquelle le Maréchal aime emprunter des symboles. Pour la deuxième fois, la guerre fait basculer le destin de ce soldat.

Né en 1856, Philippe Pétain mène une carrière banale d'officier avec, toutefois, un passage remarqué

Les bustes et les portraits de maréchal Pétain remplacent ceux de Marianne (symbole de la République) dans les mairies, préfectures et autres édifices publics.

comme professeur à l'École de guerre. En 1914, à l'approche de la retraite, il n'est que colonel et commande un régiment à Arras. La Grande Guerre change tout. Elle révèle ses qualités de stratège et lui apporte la renommée d'un chef économe de la vie des hommes, opposé aux offensives meurtrières et au « *feu qui tue* ». Le « vainqueur de Verdun » bénéficie alors d'une popularité exceptionnelle, dans tous les milieux. Il la doit à une réputation d'officier loyal à la République, d'homme intègre et désintéressé, soucieux de l'intérêt général et attaché aux valeurs de la France rurale. C'est en mai 1940, on le sait, que Paul Reynaud l'appelle au gouvernement.

l'effondrement la France seule réalités de la France de Vichy

Le culte

La mystique Pétain est une des réalités de la France de l'été 1940. Construite sur l'image du soldat-paysan qui sacrifie la fin de sa vie pour servir son pays dans le malheur, appuyée sur de courtes et saisissantes formules, elle prend forme dans le contexte de désespoir et de peur du vide de la débâcle. Un véritable culte se développe à l'égard du sauveur providentiel qui fait don de sa personne à la France. Peu nombreux sont ceux qui échappent à la magie et de grands noms participent à la célébration. Si la propagande exploite avec méthode les détresses d'un peuple hébété, les liens qui se tissent alors entre le vieil homme et une majorité de Français dépassent le cadre habituel des mouvements d'opinion.

Les essais d'explication renvoient à des phénomènes de psychologie collective qui relèvent plus du sacré que de l'adhésion raisonnée. Il y a bien une sorte de religion Pétain. Elle bénéficie d'ailleurs du concours empressé d'éminents prélats de la hiérarchie catholique et, à un degré moindre, de représentants des Églises réformées. Le mythe se nourrit de la confusion entretenue et la dimension religieuse apporte à l'homme providentiel un facteur décisif de légitimité : le devoir d'obéissance entre dans le domaine de la foi.

L'écart

La vénération maréchaliste multiplie les outrances et ses délires rempliraient aisément un bêtisier d'anthologie. La ferveur ne laisse voir cependant que l'apparence d'un phénomène plus complexe. Il fonctionne sur une distinction subtile entre la réalité d'un attachement affectif à l'homme et une indifférence de plus en plus marquée à l'égard de la politique menée en son nom. Même si la contradiction n'est pas vécue comme telle par ceux qui vont croire longtemps au double jeu du paysan rusé, elle est perceptible dès l'automne 1940, après la rencontre de Montoire. L'écart ira croissant et il traduit l'une des formes de l'ambivalence qui caractérise les attitudes collectives tout au long de la période.

« *Voici, à mon sens, la vérité. Le Maréchal a été conservé par Dieu à la France par-dessus deux générations parce qu'il avait à la recevoir dans ses bras, expirante.* » **Loustaunau-Navarre, Almanach de la Légion, 1941.**

« *Sa moustache a l'impeccable blancheur de la vertu.* » **René Benjamin, Le Maréchal et son peuple, Plon, 1941.**

> Le maréchal Pétain est la clef de voûte du nouveau régime. Il le revendique et s'identifie totalement à son projet politique. Il faut pourtant chercher ailleurs le sens du ralliement qui se constitue autour de lui.

La Révolution nationale

Vichy veut créer un ordre nouveau pour un homme nouveau. L'obsession de l'ordre, le moralisme et la référence à un modèle prérévolutionnaire mythique fixent les limites de l'ambition.

Rejet et nostalgies

Fortement inspirée par les idéologues de l'Action française*, la Révolution nationale est la grande affaire du régime. Elle veut transformer en profondeur le modèle politique et la nature du lien social, préparer un homme nouveau, forger les âmes. Il s'agit de rompre clairement avec la pensée des Lumières et ses idées fausses (selon Vichy), comme par exemple la « *prétendue égalité naturelle* » des hommes. Sa philosophie condamne autant l'individualisme libéral que l'égalitarisme décrété et illusoire du socialisme étatique. L'État doit être national, autoritaire, hiérarchique et social, émaner des élites et des communautés naturelles. La diversité des influences, ainsi que le culte de l'enracinement terrien et la nostalgie des sociétés préindustrielles, engendrent un système composite, plus proche de l'« *Estado novo* » de Salazar (*voir* Notice biographique) que du fascisme de Mussolini. Dès l'été 1940, les premières mesures touchent à des enjeux majeurs : l'organisation du corps social, l'éducation de la jeunesse, la formation des élites, la famille. D'une construction aux multiples étages on dégagera quelques traits significatifs.

> « *Le régime nouveau sera une hiérarchie sociale. Il ne reposera plus sur l'idée fausse de l'égalité naturelle des hommes, mais sur l'idée nécessaire de l'égalité des chances données à tous les Français de prouver leur aptitude à servir.* »
> **Philippe Pétain, octobre 1940.**

L'ordre

Le nouveau régime rejette la démocratie parlementaire. La légitimité du pouvoir et la souveraineté de la nation ne procèdent ni de

l'effondrement   la France seule   réalités de la France de Vichy

la tromperie du suffrage universel, ni de la tyrannie du nombre, ni d'élus qui ne représentent que des intérêts partisans. Le pouvoir vient d'en haut, exercé à tous les niveaux de la pyramide par des chefs issus naturellement des élites, reconnus et soutenus directement par le peuple. L'autorité du chef, l'exaltation de son rôle, la discipline convergent vers la nécessité et le primat de l'ordre.

À cette conception du principe de souveraineté correspond celle de l'homme en société. « *La nature ne crée pas la société à partir des individus, elle crée les individus à partir de la société* », affirme le Maréchal. L'individu n'existe que par la communauté nationale et les cellules qui la fondent. Ce sont elles qui lui donnent la vie et les moyens de vivre, obligeant ainsi à mettre les devoirs avant les droits. C'est pourquoi, contre l'illusion dangereuse d'une école neutre, le système éducatif doit inculquer les vertus de l'obéissance et les valeurs de la « France éternelle », apprendre à servir plus qu'à revendiquer. Les mouvements de jeunesse et les écoles de cadres, avec celle d'Uriage* au plus haut, forment les élites de demain.

Normalisation

Pour Vichy, la cellule familiale est un facteur déterminant de cohésion sociale. Dans le prolongement du code promulgué en 1939, des mesures encouragent la natalité, entre incitations et contraintes (*voir* pp. 30-31). Les mères de famille nombreuse sont honorées dans une vision de la femme profondément traditionaliste.

Toutes les décisions doivent être replacées dans la globalité d'une politique qui veut assainir le pays et imposer une normalisation de la sphère privée par un retour à l'ordre moral. Sur le terrain, la Légion française des combattants, créée le 29 août 1940 et liée au Maréchal par un serment de fidélité, doit servir de relais au pouvoir. Elle met plus de zèle à surveiller qu'à dynamiser la Révolution nationale.

« *La défaite est la conséquence logique, inévitable et juste de la décadence française. Nous sommes vaincus non pas tant par l'adversaire [...] que par notre paresse, nos lâchetés, nos abandons, nos mœurs dissolues, en un mot par l'effondrement de l'âme nationale.* » Almanach de la Légion, 1941.

La révolution culturelle du Maréchal rejette l'héritage démocratique. Elle impose un État autoritaire qui cultive l'élitisme, l'ordre moral et les nostalgies.

L'exclusion

Loin de constituer une mesure de circonstance, l'exclusion est un des fondements de l'idéologie vichyste. Elle a pour but de purifier la nation pour souder son unité. Dans la guerre contre l'« anti-France », la politique antisémite spécifiquement française prend une importance et un sens particuliers.

« Est regardé comme juif [...] toute personne issue de trois grands-parents de race juive ou de deux grands-parents de la même race, si son conjoint lui-même est juif. » **Article 1ᵉʳ, loi du 3 octobre 1940.**

La France aux Français

Pour Vichy, l'assainissement de la France ne se limite pas à l'ordre moral. La régénération ne peut venir que de la « *partie saine* » de la population. Elle passe par la lutte contre l'« anti-France » et ses cibles emblématiques : l'étranger indésirable, le communiste internationaliste, le franc-maçon, le juif. L'exclusion, justifiée comme condition vitale du salut, est liée de façon indissociable à la nature du régime de Vichy. Les faits le confirment : des dispositions en cascade permettent la révision des naturalisations, la dissolution des loges maçonniques, l'internement des communistes et des étrangers « suspects ». Rebâtir une « *vraie France* » par et pour les seuls « *vrais Français* » fixe la ligne d'horizon.

L'antisémitisme d'État

C'est à propos des juifs, déclarés corps étrangers à la nation, que le rejet de l'Autre se manifeste avec le plus de brutalité. Si les premières mesures anti-juives sont allemandes, elles ne touchent que la zone occupée. La loi du 3 octobre 1940 portant sur le statut des juifs est, elle, une initiative de Vichy, applicable partout. En rupture avec la tradition républicaine, l'État

Extraite du film *Le Chagrin et la Pitié**, l'image rappelle une des nombreuses mesures discriminatoires à l'égard des juifs. En zone occupée, à partir de septembre 1942, ils sont interdits dans la plupart des lieux publics.

l'effondrement | la France seule | réalités de la France de Vichy

exprime une volonté politique de discrimination. Entre octobre 1940 et septembre 1941, 57 textes de lois, décrets et arrêtés concernent le sort des juifs. Cet acharnement et cette précipitation, dans un pays confronté à d'immenses problèmes, valent tous les commentaires.

Le statut

Le texte de 1940 établit une définition « française » du juif. Il interdit aux juifs un ensemble de fonctions et installe un *numerus clausus* dans des professions libérales et à l'université. Quelques exceptions concernent les anciens combattants ou les bénéficiaires d'une dérogation. Le caractère discriminatoire du texte sera aggravé par le deuxième statut, en juin 1941. L'abrogation du décret Crémieux en Algérie (Adolphe Isaac Crémieux, ministre de la Justice dans le gouvernement de défense nationale, fit adopter le décret du 24 octobre 1870 qui accordait la citoyenneté française aux juifs d'Algérie), puis la création du Commissariat général aux questions juives et la confiscation (« aryanisation ») des entreprises en juillet vont dans le même sens.

Ghetto et garrot

Décidées par le seul Vichy, ces mesures créent un véritable « apartheid » à la française. Elles traduisent les préjugés antisémites ancrés dans la culture du pouvoir et font des juifs les boucs émissaires du désastre. Progressivement privés de leurs moyens d'existence, les juifs se retrouvent enfermés dans une sorte de ghetto qui les étrangle et prépare leur exclusion sociale. Séparés du reste de la nation, stigmatisés, surveillés, ils deviennent vulnérables face à une entreprise méthodique de répression. L'internement des juifs étrangers, sur simple décision préfectorale, puis le recensement obligatoire des tous les juifs en juin 1941 vont avoir des conséquences catastrophiques. Même s'il ne visait pas à l'extermination, même si ses inspirateurs ignoraient l'avenir, l'antisémitisme de Vichy crée les conditions de l'irréparable. Il prendra toute sa dimension tragique quand, à l'été 1942, les nazis mettront en œuvre la solution finale en France.

« Le gouvernement a dû, dès les premiers jours, étudier le problème des juifs et celui de certains étrangers qui, ayant abusé de notre hospitalité, n'ont pas peu contribué à la défaite. » « Déclaration d'intention » du 17 octobre 1940 (texte qui a précédé le texte officiel sur le statut des juifs).

Vichy fait de l'exclusion une nécessité politique et organise une répression qui touche diverses catégories de réprouvés. Des mesures iniques rejettent les juifs de la nation et créent une situation aux conséquences tragiques.

L'entrevue de Montoire

La demande de collaboration exprimée à Montoire provient d'une initiative française. Elle repose sur des illusions et de graves erreurs d'appréciation.

Illusions et réalité

La part de souveraineté reconnue par l'armistice nourrit des illusions qui laissent penser qu'une négociation pourrait s'engager avec l'occupant, d'État à État. Le scénario fut tout autre et les Allemands signifièrent très vite que non seulement les obligations imposées à la France ne constituaient pas une base de discussion, mais qu'ils se réservaient d'en ajouter d'autres, en fonction de leurs seuls intérêts. Le découpage unilatéral du territoire et l'annexion de fait de l'Alsace et de la Moselle – au mépris des accords d'armistice – établirent la réalité du rapport de forces. Préparée par Laval pour « *bâtir une paix nouvelle de collaboration* », la rencontre de Montoire résulte d'une demande de Vichy. Elle reflète les ambiguïtés de la politique pétainiste et la fragilité de ses calculs. À l'évidence, le 24 octobre 1940, les intentions divergeaient et les mots n'avaient pas le même sens de part et d'autre.

La myopie de Vichy

En 1940, le maréchal Pétain est convaincu que rien ne peut plus arrêter la formidable puissance de l'Allemagne. Un nouvel ordre européen va naître et la France doit se préparer avec réalisme aux conditions futures de la paix. Dans l'immédiat, faire un pas vers le vainqueur, c'est espérer une amélioration du quotidien des Français et du sort des prisonniers de guerre, c'est prouver et légitimer les valeurs de la révolution nationale. C'est aussi, par une pratique loyale de la collaboration, gagner la confiance de l'occupant et obtenir de lui le rétablissement des prérogatives du pouvoir. De façon obsessionnelle,

« *C'est dans l'honneur et pour maintenir l'unité française* [...] *dans le cadre d'une activité constructive du nouvel ordre européen que j'entre aujourd'hui dans la voie de la collaboration. Cette politique est la mienne. C'est moi seul que l'Histoire jugera. Je vous ai tenu jusqu'ici le langage d'un père : je vous tiens aujourd'hui le langage du chef.* »
Philippe Pétain, 30 octobre 1940.

l'effondrement | la France seule | réalités de la France de Vichy

le gouvernement de Vichy tient à affirmer à tout prix sa souveraineté. Il en deviendra myope, jusqu'à sombrer dans l'engrenage des surenchères et des compromissions. Du côté allemand, les positions sont beaucoup plus en retrait. En échec face à la résistance de la Grande-Bretagne, poliment éconduit par Franco, Hitler cherche avant tout à neutraliser la France aux moindres frais. Vichy ne l'intéresse que pour mieux soumettre le pays aux desseins du Reich, à la préparation du nouveau grand projet de guerre à l'Est.

La poignée de main entre Hitler et Pétain dans la petite gare de Montoire, sous le regard de Ribbentrop, provoqua un choc dans l'opinion. Elle marque symboliquement le choix de la collaboration par le régime de Vichy.

Le choc

Une collaboration sans un semblant d'équilibre entre les deux parties était vide de sens. Loin du second acte fondateur que certains ont cru y voir, Montoire se situe entre le jeu de dupes et le malentendu. La célèbre poignée de main entre Hitler et Pétain dans la petite gare du Loir-et-Cher, puis le discours solennel où le chef de l'État annonce sa volonté de collaboration, ont un immense retentissement. Le trouble est profond et l'incompréhension d'autant plus grande que les événements montrent le résultat des démarches bienveillantes de la France. À la mi-novembre, plus de 60 000 Français sont brutalement expulsés de Lorraine ! L'émotion est considérable, l'image du Maréchal se brouille et son capital de confiance est entamé. Il faudra le renvoi de Laval, interprété à tort comme un désaveu de la collaboration, pour ramener la ferveur populaire. Si Montoire donne à un mot banal le sens qui va désormais peupler l'univers des Français, la grande majorité d'entre eux ne se reconnaîtra jamais dans ce que le choix de la collaboration implique.

En 1940, la perspective d'une Europe allemande incite Vichy à proposer une collaboration politique au vainqueur. Ce choix provoque l'incompréhension et le trouble.

Gouvernements et gouvernants : 1940-1942

Si Vichy reste identifié au conservatisme fondamental d'une France passéiste, ses dirigeants viennent de plusieurs familles politiques. Cette pluralité reflète les contradictions du régime, entre culture traditionaliste et volonté de modernité.

Diversités

Jusqu'en 1942, à l'opposé de l'image du vieil homme manipulé par ses ministres, le maréchal Pétain conduit avec fermeté l'action du gouvernement. Sur les deux projets majeurs, la Révolution nationale et la collaboration, il joue un rôle décisif. C'est lui qui choisit les hommes, lui qui donne une cohérence apparente à la diversité des sensibilités et des courants de pensée, parfois opposés.

Exception faite des tendances extrêmes du collaborationnisme, toutes les droites sont présentes à Vichy, dans les ministères ou dans l'entourage proche du chef de l'État, terrain de prédilection des maurrassiens. Dans les lieux de décision, à côté des républicains libéraux ralliés au régime, la droite autoritaire et réactionnaire fournit le gros des recrues. On y trouve aussi beaucoup d'officiers venus à la politique par hostilité à la République, des notables ou des élus qui ne se résignent pas à l'anonymat et viennent offrir leurs services.

Les responsables peuvent également venir de la gauche, ou même de l'extrême gauche. Souvent poussés par leur anticommunisme, des leaders politiques ou des syndicalistes (Bergery, Belin) pensent trouver à Vichy la possibilité de concilier modernité économique et question sociale dans un cadre national. Plusieurs rejoignent Darlan en 1941.

l'effondrement | la France seule | réalités de la France de Vichy

Le premier Laval

En 1940, Pierre Laval, vice-président du Conseil et ministre des Affaires étrangères depuis Montoire, successeur désigné du Maréchal, est l'homme fort du gouvernement. Quatre fois président du Conseil, ce vieux routier de la politique ne soutient la Révolution nationale que du bout des lèvres. En revanche, il s'engage totalement dans la collaboration. Ses convictions pacifistes et ses positions conciliantes face aux fascismes ont fait de lui l'interlocuteur privilégié des Allemands. Ce ne sont pas ses options politiques, mais son activisme débordant auprès des occupants qui finissent par irriter le chef de l'État. Il est renvoyé le 13 décembre 1940, dans des conditions rocambolesques.

Pierre Laval, « l'homme à la cravate blanche », en 1940. Il dirige le gouvernement de juillet à décembre 1940, puis d'avril 1942 à août 1944, jusqu'à l'exil de Sigmaringen.

Darlan et la tentative technocratique

Mal accepté par les Allemands, Pierre-Étienne Flandin n'effectue ensuite qu'un bref passage. C'est l'amiral Darlan, nouveau dauphin, qui est nommé vice-président du Conseil le 10 février 1941. Il prend en charge trois ministères (Intérieur, Affaires étrangères, Marine) et fait surtout accéder au pouvoir une génération de jeunes technocrates (*voir* brève). Issus du monde des affaires ou hauts fonctionnaires, ces polytechniciens, normaliens et autres, collaborationnistes pour certains, ont été marqués par les crises des années 1930. Ils croient à la supériorité des modèles totalitaires et, pour leur haut niveau de compétence et de technicité, à l'efficacité du gouvernement des élites. À leurs yeux, la France ne peut se reconstruire sans une ambition de modernité, et cette perspective implique un développement de la collaboration. L'échec de l'expérience, l'aggravation des problèmes intérieurs et l'élargissement du conflit à une dimension planétaire bouleversent les données. En avril 1942, Darlan est écarté au profit de Laval.

> La succession des gouvernements ne doit pas faire illusion. Les hommes changent, mais les choix politiques obéissent à la même logique de collaboration.

La collaboration d'État

La collaboration d'État repose sur une illusion et une obsession : appréciation irréaliste du rapport de forces entre occupants et occupés, volonté d'affirmer à tout prix la souveraineté de l'État français.

« Le combat gigantesque que mène l'Allemagne contre le bolchevisme n'a pas seulement étendu la guerre. Il en a révélé le sens. » Pierre Laval, 20 avril 1942.

Collaborations

Les formes et les pratiques de la collaboration, aussi diverses que multiples, obligent au moins à différencier collaborationnisme et collaboration d'État.

Le collaborationnisme désigne les positions et les comportements de ceux qui adhèrent au nazisme. Ils dénoncent la frilosité et le conservatisme étriqué de Vichy, militent pour un engagement total de la France aux côtés du Reich et ne voient d'avenir que dans le modèle totalitaire d'une Europe allemande.

Un projet politique

La collaboration d'État résulte d'une démarche volontaire, symboliquement exprimée à Montoire. Au-delà des justifications avancées – négocier un allégement des clauses de l'armistice –, elle entre dans une stratégie où le souci d'affirmer la souveraineté de l'État tient une place centrale. Hypnotisés par la certitude d'une victoire allemande, les hommes de Vichy croient à la signature proche d'un traité de paix. La collaboration d'État se situe dans cette perspective, sans impliquer de proximité idéologique avec le nazisme. Jusqu'en 1942, il est vrai, la marine de guerre et l'empire colonial donnent des atouts au régime. Ils lui font penser que des initiatives en direction de l'Allemagne pourraient conduire à traiter un jour avec elle d'État à État. Au mépris des réalités et des

« Je souhaite la victoire allemande parce que, sans elle, le bolchevisme demain s'installerait partout. » Pierre Laval, 22 juin 1942.

l'effondrement | la France seule | réalités de la France de Vichy

événements, à contre-courant d'une opinion hostile à la collaboration, enfermé dans une myopie inguérissable, Vichy va s'obstiner dans la voie de l'illusion.

Darlan en échec

Après décembre 1940, contrairement aux attentes, le renvoi de Laval ne change rien aux orientations de politique extérieure. Non seulement Darlan poursuit la collaboration d'État, mais il l'accentue et lui donne sa vraie dimension. Sans état d'âme, influencé par les jeunes loups de son équipe, il croit pouvoir obtenir de l'Allemagne un partage réciproque des influences dont il fait l'axe de sa politique. À l'Allemagne l'hégémonie en Europe, à la France la puissance maritime et l'outre-mer. La Grande-Bretagne se retrouve ainsi désignée comme l'ennemi commun et les négociations du printemps 1941 entrent dans cette optique. Elles aboutissent aux protocoles de Paris signés le 28 mai 1941. Ils prévoient l'utilisation de bases militaires françaises au Moyen-Orient et en Afrique en échange de contreparties importantes. Mais les choses en restent là. L'opposition de Weygand, le rejet par l'Allemagne des exigences françaises et surtout l'évolution du conflit (attaque contre l'URSS le 22 juin 1941 et victoire des Forces françaises libres – FFL– en Syrie) font échouer la ratification du projet.

Le choix de Laval

Dans les mois qui suivent, des concessions et de nouvelles tentatives de Darlan resteront sans succès. Le contexte s'est dégradé, l'Allemagne rappelle durement que la France est vaincue (mise à la retraite de Weygand, exécution d'otages) et elle obtient le retour de Laval le 18 avril 1942. L'homme affirme brutalement ses choix et sa conception de la collaboration : le sort de la France est désormais lié à celui de la guerre totale engagée par le régime hitlérien. Au nom de cette logique, Vichy s'enfonce dans un engrenage tragique de complicités.

La LVF

Les collaborationnistes obtiennent la création de la Légion des volontaires français contre le bolchevisme (LVF) en juillet 1941. Elle regroupe les Français qui vont se battre sur le front de l'Est avec les Allemands et sous uniforme allemand.

Il faut être deux pour collaborer. Les échecs répétés du renforcement de la collaboration condamnent le projet politique de Darlan et ramènent Laval au pouvoir.

Familles, femmes et ordre nouveau

À la veille de la guerre, selon l'expression consacrée, les Françaises ne sont pas citoyennes, ne disposent pas de leur corps et sont mineures au travail. Fécondité en baisse et domination masculine donnent les clés du dispositif initié par Vichy.

Sous le portrait du maréchal Pétain, qui semble servir de substitut au père absent, la mère assure l'éducation des enfants et maintient le tissu familial.

Crise des naissances

L'intérêt privilégié que Vichy porte à la famille le conduit à multiplier les mesures à destination des femmes. Elles rejoignent l'objectif général d'assainissement et de redressement, la surveillance de la sphère privée par l'ordre moral et la volonté de favoriser la natalité par une véritable politique familiale. La chute des naissances figure dans les causes proclamées des malheurs de la France, et le régime laisse entendre que les femmes y ont eu une part de responsabilité par leurs nouveaux choix de vie.

Maternité et identité

Qu'il touche à la famille, aux mœurs ou à la démographie, la philosophie du projet est transparente. On y lit facilement la manière dont le pouvoir pense le statut et le rôle social de la femme, l'idée qu'il se fait de son identité et de ses droits. Si certaines décisions contribuent à une meilleure affirmation de la place des femmes dans l'espace public (par exemple la loi du 16 novembre 1940 sur la réorganisation des conseils municipaux), si la Journée des mères est institutionnalisée et inscrite au calendrier,

le sens profond est inchangé. Il exprime une vision naturaliste de l'« éternel féminin » à travers une préoccupation centrale : le rôle social des femmes doit être encouragé et reconnu, mais il est indissociable de la fonction de procréation. La femme est d'abord une mère, la maternité est le fondement de l'identité féminine. Sa place est au cœur du foyer, comme garante de l'harmonie et de l'ordre de la famille, cellule initiale de la société. Tout doit être fait pour ne pas l'écarter de sa fonction sociale majeure, le devoir de mère.

Carotte et bâton

En amplifiant la politique familiale de la IIIᵉ République finissante, Vichy exprime cette priorité en mêlant incitations et sanctions. Un simple aperçu suffira à montrer ce balancement. Le relèvement des allocations familiales, l'allocation de salaire unique instituée en mars 1941, l'attribution d'une dot aux jeunes mariées qui s'engagent à rester au foyer, les honneurs et les avantages reconnus aux mères de famille nombreuse apportent des satisfactions matérielles et des encouragements à l'élargissement des familles. En revanche, le versant répressif interdit le divorce avant trois années de mariage et aggrave la condamnation des manœuvres abortives. La loi du 15 février 1942 fait de l'avortement un « crime contre la sûreté de l'État ». Le 30 juillet 1943, une mère de famille qui avait pratiqué plusieurs avortements est guillotinée.

Sans pouvoir affirmer que le résultat tient directement à la politique suivie, la reprise de la natalité est nette dès 1942. Le bilan est plus nuancé pour les tentatives de normalisation sociale. La nuptialité n'a pas enregistré de hausse sensible, le nombre des naissances illégitimes a fortement augmenté, celui des divorces a doublé entre 1938 et 1946. Si la contrainte n'a pas réussi à réguler les comportements, c'est dans la création de structures institutionnelles et dans l'instauration de relations entre l'État et le mouvement associatif que Vichy laissera le plus de traces.

Une femme guillotinée

« Lu dans **Le Nouvelliste** *: Marie-Louise L, condamnée à mort le 8 juin dernier par la cour d'assises de la Seine pour manœuvres abortives, a été exécutée ce matin à la prison de la Roquette. Qui guillotinera les juges ? »* **Léon Werth,** *Journal, 1940-1944,* 31 juillet 1943.

Le régime de Vichy met la fonction maternelle au service d'un dispositif idéologique où la politique familiale tient un rôle central, avec des résultats inégaux.

Les fractures de 1941

Le 12 août 1941, dans une mise en scène théâtrale, le maréchal Pétain dénonce « *le vent mauvais* » qui se lève sur le pays, le doute qui s'empare des âmes, la contestation de l'autorité du gouvernement.

Grève des mineurs

Commencé le 27 mai 1941 à Douges, le mouvement de grève des mineurs du Nord va s'étendre avec une rapidité surprenante en réponse à la violence de la répression allemande. Il gagnera tout le bassin et durera jusqu'au 9 juin. L'opinion y verra la première action de résistance collective.

Détachement

La ferveur et la puissance apparente du consensus pétainiste de 1940 entretiennent un temps l'illusion, en masquant les malentendus. Le retour au réel va se faire à des rythmes différents selon les lieux et les milieux, avec des signes de détachement plus visibles et plus vite marqués dans la zone occupée. Dans le Nord et le Pas-de-Calais, cas limites, le culte du Maréchal laisse de marbre la majorité de la population.

Ces nuances rappelées, la tendance qui se dessine au printemps 1941, avec des variables d'intensité, va partout dans le même sens. Les premières fissures amenées par Montoire ne vont plus cesser de s'élargir. Au cours des mois, c'est tout un processus de rupture qui s'enclenche et s'amplifie.

Mécontentement

Dans l'analyse des relations entre les Français et Vichy, on a longtemps situé en 1942 la cassure et les basculements définitifs, sous l'effet d'une succession resserrée d'événements majeurs. C'est pourtant 1941 qui constitue la phase charnière.

Serment de fidélité

Le 14 août 1941, le serment de fidélité au chef de l'État est exigé des hauts fonctionnaires, des magistrats et des militaires.

On y passe de la confusion à la clarification et le futur y prend forme, selon une direction qui ne changera plus. C'est alors que les premières fractures apparaissent, c'est là que se précisent les décrochages décisifs.

l'effondrement   la France seule   réalités de la France de Vichy

Des signes convergents indiquent une dégradation continue du climat. Ils vont d'incidents en série, qui sont autant de manifestations de mauvaise humeur, à l'événement considérable que constitue, en présence de l'occupant, la grève des mineurs du Nord et du Pas-de-Calais. Parmi le nombre et la diversité des facteurs qui expliquent la montée du mécontentement, trois grandes causes se détachent.

Désenchantement et émotion

L'hostilité à la collaboration reste viscéralement ancrée et la politique de Darlan est d'autant plus mal acceptée qu'elle coïncide avec les affrontements entre Français en Syrie et avec l'extension de la guerre à l'Est.

En second lieu, la détérioration de la situation économique, la pénurie, les difficultés de ravitaillement, la montée vertigineuse des prix et la pratique généralisée du marché noir rendent les inégalités sociales encore plus insupportables, jusqu'à l'exaspération. Enfin, le durcissement de la répression, les exécutions de résistants et la plongée brutale dans la logique de la violence bouleversent les esprits. En août 1941, les communistes entrent dans la lutte armée et les massacres d'otages répondent aux attentats. De son côté, le gouvernement de Vichy crée des tribunaux aux ordres, les « sections spéciales », qui prononcent des condamnations sans appel au mépris des fondements élémentaires du droit. L'automne de sang de 1941, avec ses exécutions d'otages, creuse irrévocablement un fossé d'incompréhension.

La phrase solennelle du 12 août 1941, « *Français, j'ai des choses graves à vous dire* », n'a donc rien d'une figure de style. Elle traduit la réalité d'une crise de confiance et d'un désenchantement devenu irréversible. Des rapports de forces en mouvement s'appuient sur de nouvelles logiques de pensée et préparent d'autres ruptures.

Ordonnance des otages

L'ordonnance des otages est promulguée le 22 août 1941. 98 otages – dont les 27 de Châteaubriant* – sont fusillés les 22 et 23 octobre 1941. Entre septembre et décembre 1941, 215 otages sont exécutés.

Vers la fin de 1941, selon des frontières incertaines, les Français se partagent entre trois grandes sensibilités : minorités de la collaboration et de la Résistance, au devenir contraire, masse fluctuante et inquiète des divers attentismes, de plus en plus détachés du régime. Elles fixent le cadre des évolutions futures.

La rupture de 1942-1943

Sans être l'événement central longtemps mis en avant pour tout expliquer ou justifier, le retour de Laval provoque une accélération déterminante dans l'évolution du régime et de la collaboration. La France de Vichy n'est plus qu'une sorte d'État satellite.

La vassalisation

Par ses engagements et ses déclarations, le chef du gouvernement lie clairement le sort de la France à celui de l'Allemagne nazie et la rend encore plus tributaire de son bon vouloir. L'occupation entière du territoire, le 11 novembre 1942, en fait la démonstration. Elle ne constitue en fait qu'une étape de plus dans la régression vers une dépendance instituée. Elle est atteinte à l'hiver 1943-1944, avec l'intensification de la répression, l'arrivée des collaborationnistes au pouvoir et l'enfermement du régime dans une logique totalitaire.

Parmi de nombreux autres, quatre grands faits témoignent de ce double processus de vassalisation et de radicalisation : la contribution de Vichy à la persécution des juifs et à la « solution finale », la participation à la guerre par la fourniture de main-d'œuvre, la dérive vers l'État policier, les déchirures du tissu national dans les affrontements franco-français. Seul le deuxième point sera abordé ici, les autres faisant l'objet, ultérieurement, d'une étude spécifique.

La « relève » et le STO

La dimension planétaire du conflit – entrée en guerre des États-Unis en décembre 1941 – et les pertes de plus en plus lourdes de la Wehrmacht créent des besoins considérables de main-d'œuvre pour faire tourner une économie entièrement destinée à la « guerre totale ». Laval croit pouvoir utiliser la situation au profit de la collaboration et il prend l'initiative de devancer les demandes allemandes en les organisant.

AUVRIERS MERCI
VIVE M. MARÉCHAL
VIVE LA FRANCE EUROPÉENNE
VIVE LAVAL
3

La « relève » :
son principe reposait
sur un échange,
le départ de trois
travailleurs qualifiés
en Allemagne
permettait
la libération d'un
prisonnier de guerre.
De 90 000 à 100 000
prisonniers seraient
rentrés au titre
de la relève.
En dépit des affiches
et des films de
propagande où des
prisonniers de guerre
libérés expriment
leur reconnaissance
(photo *ci-contre*),
la relève est un échec.
Le STO lui succède.

Montée à grand renfort de propagande en juin 1942, la « relève » est un marché de dupes qui n'obtient qu'un succès mitigé. Elle est remplacée en septembre par des mesures de réquisition qui contraignent des Français à partir travailler en Allemagne. Le champ d'application est élargi par la loi du 16 février 1943 qui instaure le service du travail obligatoire (STO) pour les jeunes gens nés en 1920, 1921 et 1922. L'hostilité est aussi vive que générale, y compris chez les attentistes les plus prudents. Dès le printemps 1943, malgré les risques, les refus de départ ne cessent d'augmenter, encouragés par les mots d'ordre de la Résistance. Soutenus par la population, les réfractaires se cachent. Une partie d'entre eux choisit de rejoindre les maquis et de participer à la lutte armée. Non seulement le STO renforce ainsi la lutte clandestine, mais il accentue considérablement le rejet de Vichy et des occupants, désormais irrémédiablement confondus.

Complexité

Plus imposée que voulue, la contribution des Français à la machine de guerre allemande a été incontestable. Le pays est pillé, mis en coupe réglée, et son exploitation systématique touche à la démesure après 1942. Plus du tiers du revenu national est ponctionné au profit de l'Allemagne, 1 600 000 Français (dont 40 000 volontaires) travaillent directement pour elle et chez elle. Il faut ajouter les 2 millions de personnes qui, en France, produisent pour l'occupant. Le statut « privilégié » de ces entreprises, la diversité des contextes, des fabrications et les multiples cas de figure compliquent à l'infini la notion de collaboration économique.

Dans la suite des événements qui s'enchaînent à partir de 1942, l'occupation totale du pays et le travail obligatoire en Allemagne entraînent une rupture définitive avec le régime.

Livraison et déportation des juifs

Au printemps 1942, les Allemands imposent le port de l'étoile jaune aux juifs de la zone occupée et mettent la « solution finale » en application sur tout le territoire. La persécution des juifs bascule dans la tragédie.

> « Je fais entendre la protestation indignée de la conscience chrétienne et je proclame que tous les hommes, aryens ou non aryens, sont frères parce que créés par le même Dieu ; que tous les hommes, quelles que soient leur race ou leur religion, ont droit au respect des individus et des États. »
> Mgr Théas, évêque de Montauban, 26 août 1942.

Bilan des victimes

Sur une population évaluée entre 330 000 et 350 000 personnes, 75 721 juifs ont été déportés de France, dont 42 000 en 1942. Parmi eux, plus de 11 000 enfants, dont 2 000 âgés de moins de 6 ans. Il y a eu 2 700 survivants. Les juifs français représentent environ un tiers des victimes.

La collusion

En réponse aux demandes des nazis, qui exigent la déportation de 100 000 juifs, des négociations s'engagent avec les occupants. Conduites par René Bousquet, secrétaire général à la police, elles aboutissent à un accord avec le chef de la SS en France, Karl Oberg. Des décisions communes organisent la participation de la police et de la gendarmerie françaises aux rafles prévues dans les deux zones. C'est dans ce cadre que 13 000 juifs sont arrêtés à Paris les 16 et 17 juillet 1942 (rafle du « Vél'd'Hiv ») puis livrés aux occupants et déportés. De la même façon, dans la zone libre, des juifs étrangers et apatrides, en majorité internés dans des camps, sont livrés aux Allemands. Pour la seule année 1942, 42 000 personnes seront ainsi déportées vers les camps d'extermination et les centres de mise à mort, après un transfert à Drancy, dans des conditions épouvantables. Au total, les déportations touchent près du quart de la population totale. Dans leur immense majorité, les victimes ont été gazées à Auschwitz.

Indignation et compassion

En rupture avec la règle du silence, les rafles de l'été 1942 provoquent des protestations publiques de quelques autorités religieuses protestantes et catholiques. Si les déclarations les plus retentissantes et les plus lues ou entendues sont celles de l'archevêque de Toulouse (Mgr Saliège) et de l'évêque de Montauban

l'effondrement | la France seule | réalités de la France de Vich

(Mgr Théas), elles ne représentent qu'un courant minoritaire au sein de la hiérarchie, à la différence de celles des Églises réformées. Dans l'opinion, toutefois, le choc est rude et l'émotion intense.

À Paris, le 16 juillet 1956, une cérémonie commémorative rappelle le souvenir de la rafle du Vél'd'Hiv, les 16 et 17 juillet 1942, la plus connue des rafles de juifs de l'été 1942.

L'indignation ressentie devant les rafles ou les scènes insupportables des séparations d'enfants entraîne un sursaut des consciences dans les milieux les plus divers. Un mélange de révolte et de compassion permet le développement de solidarités silencieuses et de réseaux destinés en particulier à cacher les enfants. Des organisations juives clandestines, en liaison ou non avec la Résistance, jouent un rôle déterminant dans ce sauvetage. Organisées ou spontanées, ces réactions, avec de nombreux autres facteurs, ont permis aux trois quarts des juifs de France d'échapper à la mort.

Quelle complicité ?

Au-delà du bilan reste posée la question de la responsabilité de Vichy pour sa contribution à la solution finale, sans perdre de vue que l'antisémitisme d'État n'a jamais exprimé une volonté d'extermination. Quel que soit le jugement retenu, il ne peut écarter trois éléments de réflexion, brièvement rappelés. En rejetant les juifs de la nation dès 1940, en les stigmatisant et en organisant des fichiers de recensement, Vichy a accru l'efficacité de la persécution en les rendant vulnérables. Les rafles et les arrestations massives ont été menées avec une participation active, souvent exclusive, des forces de l'ordre de Vichy. En grande majorité, les juifs ont été arrêtés par des Français : policiers, gendarmes ou, à partir de 1943, miliciens. Enfin, devant l'indifférence affichée, on ne peut pas éviter de se demander ce que Vichy savait et voulait savoir du sort des juifs, de chercher à comprendre son refus de s'interroger sur le sens des déportations, ne serait-ce que pour les enfants.

> Menées avec la complicité active des autorités de Vichy, les rafles de l'été 1942 provoquent un réveil des consciences qui participe au basculement de l'opinion.

Les premiers refus

Au début de son existence, jusqu'en 1941, la Résistance reste dans les deux zones un phénomène embryonnaire. Inorganisée, peu connue, diversement comprise, elle témoigne dans la solitude.

André Malraux et la Résistance

Dans une première version du discours pour le transfert des cendres de Jean Moulin au Panthéon, André Malraux disait que la Résistance des débuts n'était encore qu'une « *vaine poussière de courage désarmé* ».
Le 19 décembre 1964, il parlera d'un « *désordre de courage* ».

Poussière de révolte

À quelques exceptions près, comme lors des manifestations des étudiants et lycéens le 11 novembre 1940, le mouvement du refus s'exprime par des initiatives individuelles et dispersées. Il traduit un patriotisme instinctif ou des gestes de révolte spontanés, la rencontre de déterminations partagées dans des réseaux de sociabilité ou au hasard des circonstances. Il se caractérise par sa générosité, son pluralisme, mais également par une improvisation aux conséquences redoutables, par la faiblesse de ses moyens et une insuffisance de liens au-dedans et au-dehors. Il n'est encore, pour citer André Malraux, qu'un « *désordre de courage* » (*voir* brève ci-contre). Ce n'est que progressivement que des fils vont se nouer, de manière inégale, en fonction de facteurs nombreux et imbriqués. Selon le contexte, l'action des résistants s'adapte aux possibilités concrètes d'une lutte à double dimension, militaire et politique.

Réseaux

Action militaire avec les premiers réseaux présents dès l'été 1940 sur le territoire, à l'initiative des gaullistes de la France libre ou des services secrets britanniques. Ils agissent dans trois secteurs principaux : sabotages dans la zone Nord, travail de renseignement et surtout création de filières d'évasion et de passage de la ligne de démarcation* pour les aviateurs alliés, les volontaires cherchant à rejoindre les FFL à Londres ou les prisonniers de guerre.

Guerre des mots

Activité politique avec des mouvements longtemps éparpillés qui se donnent pour premier objectif de lutter par la contre-propagande, de dire à une population résignée la vérité sur les occupants et le nazisme, de lui redonner confiance et espoir. En liaison avec les informations de la radio de Londres, brouillée mais très écoutée, ils contournent la confiscation de l'information par Vichy et dénoncent son entreprise d'endoctrinement. Les graffiti, les papillons, la rédaction et la distribution des tracts ou des journaux clandestins – une simple feuille ronéotypée souvent reproduite et redistribuée par des lecteurs –, la fabrication de faux-papiers monopolisent l'activité des mouvements à leurs débuts. Sans que ce soit la règle, c'est souvent autour d'un journal et de son titre qu'ils se constituent et se développent. Dans la zone occupée, c'est par exemple le cas pour *Résistance*, publié par le groupe du musée de l'Homme (très vite décimé par de nombreuses exécutions, *voir* pp. 40-41), pour *La Voix du Nord*, *Libération-Nord* ou *Défense de la France*. Dans la zone libre, il en est de même avec *Combat*, *Libération*, *Franc-Tireur*, ou encore avec *Liberté* et les *Cahiers du témoignage chrétien*. En revanche, l'Organisation civile et militaire (OCM) en zone occupée, ou le Front national, créé en mai 1941 par le Parti communiste, ont des origines différentes.

C'est en 1941 que les premiers regroupements s'effectuent et que se dessinent les sensibilités dominantes. Les positions des organisations se clarifient, en particulier sur la question de l'attachement à la personne du maréchal Pétain ou sur le problème des relations avec le général de Gaulle et la France libre. En août 1941, par ses effets, le passage des communistes à la lutte armée bouleverse le paysage et accélère les évolutions.

Un tract contre l'armistice

Le 17 juin 1940, à Brive, Edmond Michelet (*voir* Notice biographique) distribue un tract contre l'armistice et cite Charles Péguy : « *En temps de guerre, celui qui ne se rend point est mon homme, quel qu'il soit, d'où qu'il vienne, et quel que soit son parti.* [...] *Et celui qui se rend est mon ennemi.* »

Libération-Nord

Ce journal, créé le 1ᵉʳ décembre 1940, est tiré à 7 exemplaires. Christian Pineau, son fondateur, rédigera seul les 70 premiers numéros.

Autour des réseaux, des mouvements et de la presse clandestine, entre individualités et connivences, la Résistance amorce un long processus de structuration.

Camps et répression

Châteaubriant* et Drancy sont deux symboles de mort inscrits dans la mémoire. À côté de la mécanique spécifique de l'extermination, la répression est une des réalités des années noires, une des plus chargées de sens.

L'exode des Espagnols

De 1939 à 1946, 600 000 personnes environ ont été internées dans 200 camps. Ce chiffre inclut les 350 000 Espagnols qui y ont effectué un séjour de durée plus ou moins longue à la suite de la *retirada* (l'exode) de février 1939.

Logiques de l'internement

L'obsession de la souveraineté, plusieurs fois soulignée, rend l'État français particulièrement soucieux de ses prérogatives régaliennes. Avec l'occupant pour combattre des ennemis communs, mais en gardant le contrôle de l'appareil judiciaire et policier, Vichy veut montrer sa capacité à faire régner l'ordre. Il fait de la répression un instrument de sa légitimité.

Les camps d'internement entrent dans ce dispositif et dans celui de l'exclusion. Antérieurs à Vichy, ils ont été ouverts en 1939 à la suite du décret du 12 novembre 1938 qui permettait d'enfermer les « étrangers indésirables ». Multipliés pour accueillir la masse des réfugiés espagnols – dans des conditions indignes –, ils ne disparaîtront qu'en mai 1946. La continuité chronologique est indéniable, mais elle ne doit pas abuser. Les politiques d'internement successives n'obéissent pas aux mêmes logiques. Comme Denis Peschanski l'a montré, on passe d'une logique d'exception sous la IIIᵉ République à une logique d'exclusion avec Vichy, puis à une logique de déportation avec la « solution finale », pour revenir à une logique d'exception avec la Libération et l'épuration.

Répression et collaboration

Entre mai 1942 et mai 1943, 12 500 arrestations ont été effectuées par les occupants. Pendant la même période, pour les seuls communistes, la police parisienne effectuait 3 500 arrestations.

L'affaire de Vichy

L'ampleur du phénomène est spectaculaire. Entre 1940 et 1944, 120 000 à 130 000 personnes sont enfermées dans les camps, dont 100 000 juifs, 3 000 tsiganes et 15 000 « politiques » ou résistants. Cette forme d'internement appartient essentiellement à Vichy.

Ainsi, en janvier 1941, la population des camps représente plus de 50 000 personnes en zone Sud et en Afrique du Nord, pour moins de 3 000 en zone occupée. Le système mêle persécution et répression. Il enferme des personnes pour ce qu'elles sont et pour ce qu'elles font. Les internés sont juifs étrangers, communistes, étrangers suspects, nomades, tsiganes (en zone occupée), résistants, mais aussi condamnés de droit commun, proxénètes, trafiquants du marché noir…

Imbrication et radicalisation

De son côté, l'occupant réprime pour assurer sans faiblir la sécurité des troupes d'occupation. Cette préoccupation recoupe celles de l'État français, sa hantise de l'ordre et son désir de prouver son savoir-faire. Le service de police anticommuniste (SPAC) et les brigades spéciales de la Préfecture de police, aux méthodes expéditives, se bâtissent ainsi une épouvantable réputation. La répression commence dès 1940. Les premiers réseaux de résistance sont très vite décapités (celui du musée de l'Homme de janvier à mars 1941, *voir* brève ci-contre), Henri d'Estienne d'Orves et ses compagnons sont exécutés le 29 août 1941 au mont Valérien, 450 personnes sont arrêtées après la grève des mineurs en juin 1941 (244 déportations). Après l'été 1941, allemande, française ou les deux à la fois, la politique répressive se durcit fortement. Elle ne va plus cesser de se radicaliser, avec une efficacité redoutable. À titre d'exemple, 1943 voit le démantèlement des FTP-MOI de la région parisienne (les étrangers de l'« Affiche rouge », célébrés dans le poème d'Aragon), du réseau SOE (missions anglaises parachutées en France pour le renseignement et le sabotage) le plus important, ainsi que l'arrestation de hauts dirigeants de la résistance intérieure. À partir de l'hiver 1943-1944, les occupants, la Milice et des services de Vichy luttent sans merci contre toutes les formes de résistance. La violence ne s'arrête pas aux coupables présumés, répression et représailles se confondent.

La fin du groupe du musée de l'Homme

Le 17 février 1942, 10 membres du groupe du musée de l'Homme (dont 3 femmes) sont condamnés à mort. Boris Vildé et ses camarades Andrieu, Ithier, Lewitsky, Nordmann, Sénéchal et Walter sont exécutés le 23 février. Les femmes sont déportées.

La répression montre des imbrications de plus en plus étroites entre le projet politique de Vichy et les objectifs de l'occupant, dans une mécanique infernale.

Subsister au quotidien

Les Français qui ont vécu l'Occupation associent généralement son souvenir au temps des privations, aux courses au ravitaillement dans les fermes et aux queues interminables dans l'attente incertaine d'une maigre nourriture.

Devant les magasins d'alimentation, dans les lieux et services publics, la queue et ses attentes interminables rythment le quotidien désespérant des Français occupés.

Un autre monde

Contrairement aux affirmations de Vichy, la France est dans une situation de guerre, obligée de subir le pillage de son économie et la présence de l'ennemi. Ces contraintes imposent des conduites de nécessité et entraînent des mutations culturelles. Il n'est pas facile de saisir cet univers éloigné et de comprendre aujourd'hui ce que quatre ans d'oppression et de restrictions ont pu représenter pour une population humiliée.

En quelques mois, très vite, le cadre de vie est chamboulé, surtout en zone occupée. Il faut apprendre à vivre aux côtés et sous le regard de l'occupant, à l'heure avancée des horloges, elles aussi alignées sur l'ordre allemand. Les rapports avec les vainqueurs sont d'autant moins faciles que des impératifs professionnels ou de vie quotidienne les rendent indispensables, qu'ils sont des consommateurs à gros pouvoir d'achat, que Paris attire les permissionnaires de la Wehrmacht…

Grisailles

Dans ce nouveau paysage en vert-de-gris, en tickets de rationnement et en produits de récupération sur fond de couvre-feu, des gestes anodins deviennent épreuves d'endurance et parcours d'obstacles. Garder des liens avec ses proches, recevoir autour d'une table, voyager tourne au défi. Les cartes interzones et leurs informations à

l'effondrement | la France seule | réalités de la France de Vichy

cocher symbolisent le niveau rétréci des échanges. La ligne de démarcation* n'est supprimée qu'en mars 1943, il n'y a pas d'essence pour circuler en voiture, les trains sont lents, bondés, et le moindre déplacement devient une expédition. Le troc est de retour, les coupures d'électricité habituelles, et la rareté du charbon fait du chauffage un souvenir lointain, privation cruellement ressentie lors des terribles hivers de 1941 et 1942.

Quelques écarts de prix en 1942 (chiffres en francs)		
	prix taxés	marché noir
Beurre (kg)	43	107
Œufs (douzaine)	20	53
Porc (kg)	17	74

Rationnement de la viande
Ces chiffres étaient donnés sans garantie d'approvisionnement.

Septembre 1940	360 g / semaine
Janvier 1942	180 g / semaine
Avril 1943	120 g / semaine

Avec le froid, la nourriture est la seconde obsession, celle-là permanente. Les restrictions touchent l'alimentation, le vin, le tabac, les vêtements, les chaussures, les combustibles, les carburants... Dès août 1940, le pain, les pâtes, le sucre sont rationnés. Suivent en octobre le beurre, le fromage, la viande, les œufs, le café. Tout y passe, jusqu'au lait et aux pommes de terre à l'automne 1941. Avec ces problèmes de ravitaillement indéfiniment reposés, la montée vertigineuse des prix et le marché noir complètent à gros traits le tableau.

Quels effets ?

Si la grisaille des jours ordinaires rétrécit l'horizon au « *vivre et survivre* » (selon l'expression de Dominique Veillon), il est difficile de mesurer et de généraliser les effets des restrictions sur les comportements. Avec d'immenses différences selon le lieu de résidence et les revenus, le gros de la population vit au rythme des difficultés matérielles bien plus qu'à celui d'événements jugés depuis décisifs. Elle peut soit y trouver des motifs de révolte, soit cultiver le repli et l'indifférence au monde extérieur. Les rares certitudes concernent le bouleversement de l'ascenseur social, avec des enrichissements spectaculaires et des inégalités aggravées, des rapports de forces modifiés entre citadins et paysans, des formes de sociabilité inédites et la reconstitution du tissu familial autour de la parenté rurale.

Le rationnement et les taxations ne permettent pas de répondre aux besoins élémentaires de la population. Les difficultés matérielles ont pesé dans le rejet de Vichy, mais elles ont pu aussi encourager des accommodations suspectes en retardant les prises de conscience.

L'opinion moyenne

De 1940 à la Libération, des mutations
peu spectaculaires mais décisives
renforcent des convictions ancrées.
Elles parviennent à enrayer la force
d'inertie des attentismes résignés.

Ne pas simplifier

Sans oublier les limites de la démarche (*voir* pp. 4-5),
quelques tendances significatives de l'opinion commune peuvent être dégagées. Il convient cependant
de se méfier des affirmations qui ramènent à des
données simples des réalités changeantes et com-
plexes. À titre d'exemple, l'opposition sommaire
entre une zone occupée au patriotisme exemplaire et
une zone libre engluée dans les consentements
vichystes ne résiste à aucune analyse (pour ne pas
parler de l'audience du collaborationnisme, très
minoritaire dans le Sud). La même prudence est
indispensable face aux approximations qui confondent la France voulue par Vichy et les Français sous
Vichy. Les raccourcis du type « tous collabos » ou les
images glauques d'une France veule, décrites avec
complaisance, découlent d'amalgames grossiers.
Enfin, et sans entrer dans les questions de méthode,
l'analyse des phénomènes d'opinion montre que la
signification des comportements ne peut pas être
réduite à celle de leur expression explicite.
En allant à l'essentiel, trois grands enseignements se
détachent.

Double rejet

Des attitudes intangibles ont traversé le temps, insen-
sibles à la conjoncture. Tout au long des années noires,
à côté des paralysies liées à la pénurie et aux difficultés
du quotidien, un double rejet structure l'univers men-

l'effondrement | la France seule | réalités de la France de Vichy

tal des Français. Rejet de l'Occupation, rejet de la collaboration. Les appels du Maréchal n'ont jamais réussi à faire reculer la force de l'évidence : les Allemands occupent et oppriment le pays, ils sont et restent des ennemis. Le refus de la collaboration n'a pas faibli, indépendamment du sort de la guerre, étant entendu que les événements ont pu aider à renforcer les certitudes. Pour le dire autrement, les Français, en grande majorité, n'ont pas été proallemands au temps des victoires du Reich puis favorables aux Alliés en 1943, après les défaites à Stalingrad et en Afrique du Nord.

Mutations

En second lieu, peu visibles sur le moment, des basculements ont accéléré les évolutions. La dissociation entre le maréchalisme de sentiment et le soutien au régime n'a pas été vécue comme une contradiction par les contemporains, contre toute logique. Cette ambivalence est caractéristique de la période, jusqu'à la conscience claire d'une collusion irréversible entre Vichy et l'Allemagne hitlérienne. Durement confirmée en 1944, la dérive pronazie du régime a rendu intenable l'attentisme-refuge de ceux qui croyaient pouvoir concilier le confort d'une attitude loyaliste envers Vichy avec un patriotisme antiallemand et l'espoir d'une victoire alliée.

Zones d'ombre

La permanence des rejets et les prises de conscience n'ont pas empêché des accommodations ambiguës. Même si l'attentisme n'est pas univoque et ne se réduit pas à l'opportunisme calculateur, même s'il prend des couleurs différentes selon le contexte, sa durée témoigne d'ambivalences persistantes. Elles témoignent de la nature profonde des conduites collectives, de la difficulté à en saisir le sens et à le fixer. Sous Vichy, nombreux sont les cas de figure où les logiques de comportement échappent aux raisons apparentes de la logique. En posant des problèmes d'interprétation incessants, elles illustrent par excellence la complexité du temps.

Passivité ou dignité ?
Le 30 avril 1944, après s'être inquiété des préoccupations étriquées de l'opinion, « *comme si la grande masse de ce pays ne tenait plus à rien qu'à vivre, à n'importe quel prix* », Jean Guéhenno poursuit : « *Mais si l'on y songe, l'espèce d'inertie qu'oppose à la propagande la masse d'ordinaire si malléable est un bon signe de la dignité instinctive du pays.* »
(Source : *Journal des années noires*)

Le détachement et le rejet sanctionnent la faillite du régime. Son échec est total sur la question centrale de l'identité nationale. Loin de reconstruire dans l'unité, Vichy a exacerbé les passions et les divisions.

La Résistance extérieure

L'appel du 18 juin 1940 a été peu entendu, mais il a été vite connu. Cet acte de foi dans le futur, contre toute évidence, apporte le mot de résistance au patrimoine de la nation. Il en est, symboliquement, le geste fort.

« Cette guerre n'est pas tranchée par la bataille de France, cette guerre est une guerre mondiale. Foudroyés par la puissance mécanique, nous pourrons vaincre par une puissance mécanique supérieure.
La flamme de la résistance française ne doit pas s'éteindre et ne s'éteindra pas. »
Charles de Gaulle, Londres, 18 juin 1940, extraits.

Deux légitimités

Les FFL et les FFI qui mènent en commun les combats de l'été 1944 témoignent de deux façons de résister, à l'extérieur et à l'intérieur. Le chemin de l'unité a été long et difficile. Sans vouloir comparer ce qui ne peut pas l'être, les conditions spécifiques de la lutte clandestine dans la France occupée peuvent expliquer des malentendus persistants.

Les paroles prononcées le 18 juin à la BBC par le général de Gaulle ne sont pas à elles seules à l'origine du refus, mais elles posent très tôt, avec une lucidité prophétique, les raisons fondamentales du combat : refus de l'armistice, rejet de Vichy, poursuite de la lutte aux côtés de la Grande-Bretagne, vision planétaire du conflit.

Solitude

Reconnu comme chef des Français libres par Winston Churchill, l'homme qui s'adresse de Londres aux Français est un inconnu pour la majorité d'entre eux. Né en 1890, sorti de Saint-Cyr en 1910, il est fait prisonnier à Douaumont. Il partage ensuite sa carrière d'officier entre divers commandements et un travail d'état-major. Défenseur solitaire d'une guerre de mouvement et de l'arme blindée, général de brigade à titre temporaire, il entre au gouvernement de Paul Reynaud le 5 juin. Opposé à l'armistice, il quitte Bordeaux le matin du 17 juin. Malgré son isolement, il s'acharne à affirmer la présence de la France libre à l'extérieur. Trois grandes

l'effondrement | la France seule | réalités de la France de Vichy

directions commandent son action : étendre ses bases territoriales, bâtir une armée et des services de renseignement (Bureau Central de Renseignements et d'Action, BCRA), proposer une alternative politique.

Intransigeance

Les ralliements de plusieurs terres de la France d'outre-mer (avec un échec à Dakar en septembre 1940) permettent aux FFL de maintenir une présence française dans la guerre. Très modestes au début – 7 000 hommes en juillet, 35 000 à la fin de 1940 –, elles disposent d'une marine et d'une aviation. Après la Syrie, en juin 1941, elles s'illustrent un an plus tard à Bir Hakeim.

Sur le plan politique, après une période d'incertitude, le chef de la France combattante donne à son projet une orientation républicaine et il s'engage, en matière sociale, à des réformes de structure. Dans ses rapports avec les Alliés, le général de Gaulle s'identifie à la France et se montre d'une intransigeance absolue dans la défense des intérêts nationaux. Des orages traversent les relations avec les Britanniques, mais c'est avec les États-Unis que les difficultés sont les plus sérieuses. Elles tiennent aux relations que ce pays conserve avec Vichy jusqu'au printemps 1942 et à l'incompréhension suscitée par la personnalité du général, en particulier chez Roosevelt. La méfiance ne tombera que tardivement, en partie seulement.

La deuxième France

La crise est à son comble après le débarquement de novembre 1942 en Afrique du Nord, avec l'installation au pouvoir de Darlan, puis de Giraud. Au bout d'une longue période de luttes sourdes, le soutien de la résistance intérieure à de Gaulle amène la mise à l'écart de Giraud. La France libre devient un véritable État, avec Alger pour capitale. Son armée participe aux opérations en Afrique du Nord et en Italie, avant de retrouver la France. En septembre 1943, en relation avec les résistants de l'île, la Corse avait été libérée.

Assassinat de Darlan

Dans des circonstances demeurées troubles, l'amiral Darlan est assassiné le 24 décembre 1942 à Alger par un jeune royaliste, Bonnier de La Chapelle, rapidement jugé et exécuté.

Raidi sur des positions inflexibles, le général de Gaulle impose la légitimité de la France combattante et se fait accepter comme la seule alternative capable de rassembler les Français.

La Résistance intérieure

La conception militaire que le général de Gaulle se fait de la lutte contre l'occupant est longtemps source d'incompréhension pour les résistants de l'intérieur. Sa légitimité passe cependant par leur soutien.

Le ralliement

Pour tous les courants du refus, 1942 est une année décisive. Parachuté le 2 janvier, Jean Moulin est chargé par le général de Gaulle de réaliser l'unité de la Résistance dans la zone Sud. Il vise en fait à une unification d'ensemble et parvient pour l'essentiel à remplir sa mission, non sans difficultés. Les trois principaux mouvements se rallient à la France libre et organisent des structures communes, comme l'Armée secrète (AS) en novembre 1942 et le service maquis en 1943. Des problèmes liés au contrôle de la zone Nord et de l'AS créent cependant des tensions entre responsables (Pierre Brossolette, Henri Frenay, Jean Moulin).

Les structures

Tout en préservant leur autonomie de décision, les communistes rompent avec l'isolement. Ils sont nombreux à militer dans les mouvements et les FTP recrutent hors du parti. En janvier 1943, ils reconnaissent le général de Gaulle comme chef de la « France combattante » (qui désigne tous les résistants, où qu'ils soient), et envoient un représentant à Londres. Au même moment, les grands mouvements fusionnent dans les Mouvements unis de Résistance (MUR). Enfin, le 27 mai 1943, la formation du Conseil national de la Résistance (CNR), présidé par Jean Moulin, marque l'aboutissement du processus d'unification. Les mouvements de résistance y siègent aux côtés des syndicats et des partis politiques, remis en selle à cette occasion.

l'effondrement | la France seule | réalités de la France de Vichy

L'essor

Bien que fragile, l'organisation encaisse le choc des arrestations, en juin 1943, du général Delestraint, chef de l'AS, de Jean Moulin et de nombreux dirigeants, à la suite de trahisons. L'efficacité du NAP (Noyautage des Administrations publiques), l'argent, les parachutages et les liaisons avec Londres ou Alger permettent un développement de l'action, spécialement de la lutte armée et des maquis. Les tirages de la presse clandestine explosent, la guérilla urbaine s'intensifie, les coups de main des groupes francs et les expéditions punitives contre les collaborateurs se multiplient. Les zones de maquis s'étendent, à l'exemple du Limousin, mais des divergences subsistent sur le choix de la stratégie. Les fortes concentrations, comme celle des Glières en février 1944, ou plus tard au mont Mouchet et au Vercors, débouchent sur des tragédies. En avril 1944, la création des FFI marque un nouveau pas vers l'unité. Toutefois, des unités de républicains espagnols, de certains FTP ou des groupes d'obédience « giraudiste », comme l'ORA (Organisation de résistance armée), restent à l'écart.

Libération de prisonniers

Le 21 octobre 1943, le groupe franc Libération de Lyon, qui n'en est pas à son coup d'essai, attaque un fourgon allemand en pleine ville. Il libère 17 prisonniers, dont Raymond Aubrac. Sa femme, Lucie, a monté l'opération et y a participé.

Le bilan

Dans tous les camps, surtout après l'été 1943, la répression fait rage, aidée par des trahisons. La déportation s'ajoute aux massacres de maquisards, aux tortures et aux exécutions. On évalue à 30 000 le nombre des « fusillés » (un terme générique ; dans les faits : fusillés, pendus, guillotinés, torturés à mort, sommairement massacrés), à 60 000 celui des déportés, à plus de 20 000 les FFI morts au combat. Dans les réseaux, chez les communistes, à l'OCM, les pertes sont particulièrement lourdes.

La modestie des effectifs nourrit un débat sans fin sur le rôle et l'influence de la Résistance. Sans revenir sur la dette de la nation à l'égard de celles et ceux qui ont préservé son honneur, l'analyse du phénomène montre, en tout état de cause, qu'il est irréductible à une évaluation chiffrée.

La Résistance reste un mouvement minoritaire jusqu'à l'été 1944, mais son rôle dans la reconstruction de l'identité nationale va très au-delà de son efficacité militaire.

L'évasion : le cinéma

Recettes des salles de cinéma (en millions de francs)				
1937	1938	1941	1942	1943
395	452	416	707	915

Les années d'occupation n'arrêtent pas la consommation culturelle de masse, mais elles lui donnent un sens sur lequel on peut s'interroger. C'est surtout vrai pour le cinéma français, d'une richesse exceptionnelle.

La faim de spectacle

La France grise et repliée exprime un immense besoin d'évasion et de loisirs. On chante, on lit, on joue, on fait du sport sous l'Occupation, où la fréquentation des salles de spectacles est en nette augmentation. C'est vrai pour le théâtre, le music-hall et plus encore pour le cinéma, où, de 1938 à 1943, les spectateurs passent de 220 à 304 millions, avec un doublement des recettes. Les professionnels s'étonnent publiquement du succès invraisemblable de certains films et doivent souvent refuser du monde en fin de semaine.

La « psychologie du spectateur » est habituellement invoquée pour fournir une explication. Le cinéma apportait un espace de liberté par le rêve, une distraction indispensable pour rompre avec la noirceur et les privations du quotidien. Dans le froid des hivers, la chaleur des salles aurait aussi joué. On peut penser encore à d'autres raisons, comme la recherche d'une forme de communion collective hors des carcans extérieurs et des contraintes du silence : partout en France, surtout après 1942, manifester et siffler aux actualités est devenu une habitude.

Le besoin d'évasion est tel que les queues s'allongent aussi devant les cinémas, y compris quand on y projette de redoutables navets. Ici, en janvier 1943, boulevard des Capucines, à Paris, pour *Andorra ou les hommes d'airain*, un film d'Émile Couzinet tourné en 1941, avec Jean Chevrier, Robert Le Vigan, Jany Holt.

Le temps effacé

De la production à la distribution, le monde du cinéma de l'Occupation vit selon ses logiques propres. Elles repoussent jusqu'à la caricature les frontières ambiguës de l'amnésie et des modes d'accommodation. On peut aller au cinéma à Paris deux jours après l'entrée des Allemands, et 220 longs métrages seront tournés d'août 1940 à mai 1944. Des chefs-d'œuvre considérables ont été produits et toute une génération de réalisateurs et d'acteurs a imposé des talents et des visages qui deviendront familiers.

Face à ce bilan, on peut s'en tenir à une analyse lisse : le cinéma français a survécu, sans concession, en maintenant sa qualité et sa personnalité. En dépit des obstacles, il a réussi à affirmer une présence nationale dans un univers germanisé. Il est vrai que la pression idéologique a été contournée. Le contenu des films – à l'exception du *Corbeau* – se tient soigneusement à l'écart des problèmes du temps et se réfugie dans la veine romanesque, l'histoire ou le merveilleux. C'est sans doute pourquoi, à la Libération, une fois sanctionnés quelques comportements coupables jugés non significatifs, il était admis que ce milieu avait su éviter les compromissions de la littérature ou de la presse.

Nostalgies

Il y a évidemment d'autres façons de voir. La défaite, l'exil et l'exclusion, qui imposent la francisation des métiers du cinéma, ont créé d'énormes vides. Avec la fin de la concurrence d'Hollywood, ils libèrent la profession de l'engorgement d'avant-guerre et permettent un extraordinaire renouvellement des cadres. Plusieurs ont ainsi vécu la période comme une sorte d'âge d'or, au point que certains semblent la regarder avec regret. Le monde du cinéma français a continué à créer dans ses décors, à distance du réel et en s'accommodant des tragédies du dehors. N'étaient les atrocités du contexte, « *on se prendrait presque à considérer comme légitime la nostalgie des cinéastes pour cette période* », écrit François Garçon. Il ajoute : « *Oui, mais justement il y eut des atrocités.* »

Production allemande en France

Sur les 220 films tournés en France de 1940 à 1944, la Continental, capitaux et directeur allemands, en a produit 30.

« *J'aurais aimé voir la figure de ses patrons de la Continental si M. Clouzot avait placé l'action de son film – exactement la même – dans une petite ville allemande.* » Joseph Kessel, à propos du film *Le Corbeau*, 1947.

Le cinéma français échappe à l'idéologie ambiante et bénéficie d'un extraordinaire succès populaire.

Du côté des femmes

L'histoire des années noires a longtemps été écrite au masculin. Après la guerre, les pesanteurs culturelles ont vite repris le pas sur la solidarité des combats communs et des souffrances partagées.

Les femmes et le droit de vote

Le 21 avril 1944, l'ordonnance du Comité français de libération nationale (CFLN) portant organisation des pouvoirs dans la France libérée affirme la reconnaissance du droit de vote pour les femmes. Le 4 octobre 1944, par une ordonnance du Gouvernement provisoire de la République française (GPRF), les femmes obtiennent officiellement le droit de vote.

Simple justice

En donnant la première place aux faits d'armes et aux postures de l'héroïsme, la mémoire et l'histoire des années d'occupation se sont d'abord constituées comme une affaire d'hommes. Même si on peut discuter de la pertinence des exemples, l'absence de femmes au Conseil national de la Résistance ou le fait qu'elles ne soient que 6 à avoir reçu la croix de la Libération (sur 1 029 nominations individuelles) ne doivent rien au hasard. Il n'y aurait donc que justice à souligner la place, le rôle et les épreuves des femmes pour les soustraire à l'anonymat des lieux communs. Mais il y a plus.

Regard neuf

S'il est banal d'entendre que l'attitude des femmes sous l'Occupation a modifié le regard porté sur elles, plus important est d'inverser l'énoncé. C'est l'attention portée aux femmes qui a aidé à modifier notre regard sur l'histoire de la période, en montrant l'impossibilité de la restituer en dehors d'une approche anthropologique. Les réponses sociales des femmes, le détournement inventif de leurs propres stéréotypes, la place donnée à l'intime, à l'émotion, posent en termes nouveaux la relation entre occupants et occupés. Elles permettent de saisir et de faire mieux comprendre la complexité des conduites ordinaires et des contournements par nécessité, de discerner les imbrications étroites entre le privé, les problèmes du quotidien et les formes de l'engagement. Il en va de même pour la réflexion sur la notion de résistance, sur le rapport entre l'action et sa conscience, sur ce que traduit la phrase souvent entendue dans le témoignage féminin : « *Je n'ai fait que ce que je devais faire.* »

Clichés

Devenues chefs de famille par la force des choses, chargées par tradition du quotidien, les femmes sous l'Occupation ne se réduisent pas aux clichés convenus. On les voit dans les queues sans fin chez l'épicier, mais elles sont aussi agents de liaison et de renseignement, elles écrivent dans la presse clandestine, elles transportent des armes et du plastic. Elles sont les déportées de Ravensbrück ou d'Auschwitz, les étrangères des camps d'internement, les prisonnières de la Santé qui chantent *La Marseillaise* pour le dernier voyage d'un condamné, les mères juives de l'été 1942 aux enfants arrachés, les mères d'accueil des enfants cachés. Elles sont convoyeuses de filières d'évasion et de sauvetage, volontaires des Force françaises libres (FFL), instructrices parachutées dans les maquis, résistantes martyrisées et décapitées…

Bien entendu, la condition de femme ne vaut ni absolution, ni explication sur tout. Elles savent aussi s'accommoder de l'opportunisme et les itinéraires n'ont pas tous mené aux luttes de la Résistance. De nombreuses femmes ont été collaborationnistes, dénonciatrices, miliciennes, et beaucoup l'ont payé de leur vie. En revanche, le sens à donner au châtiment des 20 000 femmes tondues pose des problèmes d'un autre ordre. Ces humiliations infligées aux femmes visaient moins l'acte de collaboration que l'identité sexuelle de leur auteur présumé. Derrière le politique, la violence sociale venait rappeler le contrôle des hommes sur l'usage du corps féminin.

> **Femmes « tondues »**
>
> Sur les 20 000 femmes tondues à la Libération, la moitié environ l'ont été pour relations sentimentales avec l'ennemi, vulgairement désignées sous le nom de « *collaboration horizontale* ». Selon l'expression de Fabrice Virgili (*La France virile : les femmes tondues à la Libération,* Payot, 2000), les tontes ont été « *le châtiment sexué de la collaboration* ».

> Les foyers disloqués, les absents, les privations ont fait de la vie des femmes une confrontation de chaque jour avec les réalités d'un pays occupé. L'obtention du droit de vote, comme une sorte de récompense, ne doit pas faire illusion. En 1945, pour les femmes, la libération reste un combat.

Vichy : l'État policier

Les affrontements intérieurs et les revers de l'armée allemande ne changent rien à l'obstination politique de Vichy. Exister par tous les moyens semble être son unique objectif, comme si sa légitimité tenait au seul fait de durer.

« *Nous ne ferons pas de différence entre les assassins et les égarés dès l'instant où ils sont décidés à résister.* »
Joseph Darnand, 10 février 1944.

Dérives

Pétain et Laval ne peuvent plus espérer une victoire totale de l'Allemagne, mais, incorrigibles, ils se raccrochent à une nouvelle illusion. Ils parient sur la division des Alliés et sur une paix séparée. Ils y voient deux avantages : la France se retrouverait en position de médiateur, la croisade contre le bolchevisme pourrait se poursuivre. Alors que le maréchal Pétain, privé de pouvoir, n'est plus que le symbole ébréché d'un recours ultime en cas de guerre civile (situation qui lui permet, entre autres raisons, d'être acclamé à Paris le 26 avril 1944), Laval poursuit sa fuite en avant. Elle se manifeste par une intensification de la collaboration et un alignement irréversible sur les exigences allemandes. Dans la logique du processus de vassalisation – tragiquement illustré par les exactions de l'armée d'occupation contre les civils –, le régime se durcit considérablement. À partir de janvier 1944, Vichy devient un État policier en voie de fascisation. La place et le rôle envahissants de la Milice dans l'appareil d'État traduisent cette dérive.

« *Vichy a tout rationné sauf l'humiliation et la honte.* »
Albert Camus, Combat clandestin, juillet 1944.

L'État milicien

Créée le 30 janvier 1943, dirigée par Joseph Darnand et placée en principe sous l'autorité de Laval, la Milice a une doctrine et plusieurs visages. C'est un mouvement politique qui lutte contre la décadence et pour le redressement total de la France dans un ordre nouveau. C'est aussi une organisation armée et militarisée, la Franc-Garde, qui parviendra à recruter des milliers de volontaires. Chargée du maintien de l'ordre, décidée à écraser l'anti-France, elle devient une sorte de police

l'effondrement | la France seule | réalités de la France de Vichy

Les 21 points de la Milice (extraits)	
Contre la démocratie	pour l'autorité
Contre l'égalitarisme	pour la hiérarchie
Contre la dissidence gaulliste	pour l'unité française
Contre la lèpre juive	pour la pureté française
Contre la franc-maçonnerie	pour la civilisation chrétienne
Contre l'oubli des crimes	pour le châtiment des coupables

supplétive de l'occupant. Connue pour sa férocité, haïe par la majorité de la population, la Milice traque avec acharnement les résistants (sans distinction), les juifs, les communistes, les maquisards. Elle participe ainsi aux opérations contre le maquis des Glières et à la répression qui suit (mars 1944), elle est responsable de nombreux assassinats politiques, dont ceux de Victor et Hélène Basch, de Jean Zay et de Georges Mandel (*voir* Notices biographiques).

Radicalisation

En 1944, les miliciens sont partout dans l'État au niveau le plus élevé, dans les préfectures et l'administration. Philippe Henriot, secrétaire d'État à l'Information et à la Propagande, polémiste talentueux, exploite la peur des « rouges » et de la guerre civile dans ses éditoriaux quotidiens à la radio, très écoutés. Joseph Darnand, secrétaire général au maintien de l'ordre, engagé dans la Waffen SS, contrôle la totalité des services de police et du dispositif de répression, y compris les forces de gendarmerie. Les cours martiales résument sa méthode. Créées le 20 janvier 1944, formées de trois juges généralement désignés par la Milice, elles exercent une justice expéditive contre les « terroristes », sans la présence d'un avocat et sans possibilité de recours. La peine de mort, quand elle est prononcée, est immédiatement exécutoire.

Exil

L'État français se voulait protecteur. En 1944, il s'identifie au pire de l'ennemi et à un système violemment répressif. Enfermé dans ses obsessions, il sombre dans le mépris, rejeté par l'immense majorité du pays. Le 20 août 1944, les Allemands obligent Pétain à quitter Vichy pour Belfort, puis pour Sigmaringen, en Allemagne. Il y retrouve Laval et les principaux dirigeants de son régime.

La vassalisation, la radicalisation policière et une dérive fascisante caractérisent la dernière année du régime, qui sombre en août 1944, avant de finir en exil.

Terreur : bombardements et représailles

Dans l'Europe d'Hitler, le sort de la France n'est pas le pire. En 1944, les Français vivent cependant les mois les plus longs et les plus éprouvants de l'Occupation.

Une situation intenable

En rappelant une fois de plus l'extrême diversité des situations, l'intensification des bombardements dans la perspective du débarquement, la dureté des affrontements franco-français, les actions répressives de la Milice et enfin les débordements féroces de soldats allemands tenaillés par la peur rendent souvent la situation intenable.

Dans plusieurs villes et régions, en raison de la proximité d'objectifs jugés stratégiques, les populations sans défense se trouvent prises sous le double feu des Alliés et des ennemis. Elles vivent dans la peur et la terreur.

Les bombardements

Les raids aériens commencent en 1941 et montent en puissance avec l'entrée en guerre des États-Unis. En mars 1942, l'agglomération de Boulogne-Billancourt (usines Renault) est durement touchée, mais c'est en 1943 que les bombardements deviennent les plus meurtriers. Les consignes de la radio britannique demandant aux habitants de s'éloigner des lieux à risques ne sont pas faciles à suivre et ne réussissent pas à empêcher les victimes.

Les forteresses volantes évoluant à très haute altitude font d'énormes dégâts, avec une précision relative. En février-mars 1943, la Bretagne et plusieurs villes de l'Ouest sont frappées. Le dimanche 4 avril, les bombes destinées aux usines Renault tombent sur l'hippodrome de Longchamp et le pont de Sèvres, faisant des centaines de morts parmi les promeneurs. Ces scènes se répéteront. Dans la nuit du 21 au 22 avril 1944, c'est le terrible bombardement sur les quartiers populaires

l'effondrement　　la France seule　　réalités de la France de Vichy

du nord-est de Paris. Il fait 438 morts, plus de 2 000 blessés, et détruit plus de 300 immeubles. La Résistance, inquiète, tente sans grand succès de proposer d'autres solutions.

Les effets du bombardement meurtrier du 21-22 avril 1944 sur les quartiers populaires du XVIIIe arrondissement de Paris. Le 26 avril, l'hommage aux victimes fournit le prétexte pour organiser le premier voyage du maréchal Pétain à Paris depuis juin 1940.

Dignité

Les occupants exploitent la situation et les éditoriaux de Philippe Henriot (*voir* Notice biographique) décrivent avec force détails le spectacle de l'horreur. Le Maréchal sort de son silence pour dénoncer les « *agressions criminelles contre des innocents* » et c'est dans ces circonstances que, pour la première fois depuis 1940, il se rend à Paris, où il reçoit un accueil chaleureux (26 avril 1944). Bouleversée par des morts injustifiées, la population n'entre pas cependant dans le jeu du régime. Elle supporte l'épreuve avec dignité, en dépit d'un tragique bilan encore alourdi au moment du débarquement, avec un total de plus de 60 000 victimes.

Représailles

Il en va autrement des réactions aux exactions de l'occupant. Sans parler des rafles, qui envoient des milliers de personnes en déportation, ou des villages brûlés, les massacres du Périgord en mars 1944 et ceux d'Ascq le 2 avril (86 fusillés) ouvrent la liste interminable des tueries collectives. Entre trop d'exemples, on rappellera seulement les représailles qui suivent les combats du maquis de Saint-Marcel (Morbihan), les 99 otages pendus à Tulle, la population exterminée d'Oradour-sur-Glane (642 hommes, femmes et enfants fusillés ou brûlés vifs), les atrocités qui ensanglantent le Vercors jusqu'au début du mois d'août.

Pour des milliers de familles décimées et martyrisées, les transports de joie de la Libération garderont long-temps un goût de cendre.

Le débarquement et sa préparation font à nouveau de la France un champ de bataille. En menant une guerre sans merci contre les résistants, les occupants et la Milice terrorisent des populations fortement éprouvées par les bombardements.

Joies et douleurs de la Libération

Dans une population au bord de l'épuisement entre bombardements alliés, répression milicienne et terreur nazie, le débarquement et l'espoir d'une délivrance aident à dépasser la peur.

Morts au cours de la libération de Paris

Pendant la libération de Paris, 76 soldats de la 2ᵉ DB et 901 FFI ont trouvé la mort. Les Allemands ont eu 3 200 tués et ont dû abandonner 12 800 prisonniers.

Le 26 août 1944, le général de Gaulle est acclamé à Paris par une foule innombrable. « *Ah ! C'est la mer !* », écrira-t-il dans ses *Mémoires*. « *Si loin que porte ma vue, ce n'est qu'une houle vivante, dans le soleil, sous le tricolore.* »

Le jour J

Le 6 juin 1944, une formidable armada transporte 5 divisions alliées sur les plages de Normandie. Au cours de la nuit, 3 autres divisions ont été larguées à l'intérieur des terres. Après des jours d'affrontements meurtriers, la reconquête du territoire peut commencer. Manipulés par le plan « Fortitude », qui laissait penser à un débarquement dans la Somme, les Allemands ont tardé à réagir. Pendant dix jours, sur près de 40 divisions situées à distance d'intervention, 9 seulement ont été engagées.

Les sanglots longs

Avertie la veille par des messages codés, dont un des plus fameux était emprunté à Verlaine (« *Les sanglots longs des violons de l'automne / Bercent mon cœur d'une langueur monotone* »), la Résistance est associée à l'opération. Dans tout le pays, pour faire diversion, elle accomplit des missions de sabotage et d'interception prévues par les plans alliés. La destruction d'installations stratégiques, la neutralisation des nœuds de communication ou encore des actions de retardement sur les renforts envoyés au front contribueront à la réussite du débarquement. Avec leurs moyens, les FFI participent ensuite aux combats de la Libération. Ils se battent avec les soldats de la 2ᵉ DB de Leclerc à Paris, où, le 26 août, une foule énorme accueille, dans l'enthousiasme, le général de Gaulle et les chefs de la Résistance.

l'effondrement   la France seule   réalités de la France de Vichy

Peu avant, le 15 août, des troupes américaines et plus de 250 000 hommes de la 1re armée française avaient débarqué en Provence. Le lendemain, pour éviter l'encerclement, le Haut Commandement allemand donne l'ordre de repli général, sauf pour quelques garnisons de l'Atlantique. Tandis que les armées remontent la vallée du Rhône, les FFI harcèlent les arrières de la Wehrmacht et libèrent seuls des régions entières. Le pays est délivré en grande partie à la mi-septembre, Strasbourg le sera le 23 novembre.

Un été sans pareil

Pendant l'été 1944, la guerre fait de la France un pays éclaté, sans boussole. Vichy n'est plus qu'un État fantôme, mais répressif, aux mains de l'occupant. À l'exception des zones sous le contrôle des armées, les Français vivent à l'intérieur d'une multitude de petits territoires autonomes de fait, confrontés chacun à leur propre histoire, coupés d'une autorité centrale souvent introuvable. Le 2 septembre, le Gouvernement provisoire de la République française (GPRF) s'installe enfin à Paris, avant sa reconnaissance définitive par tous les Alliés, le 23 octobre.

Le temps de la Libération a été celui d'une immense espérance, dans la vibration des émotions et de la liberté de parole, dans le mélange des explosions de joie, d'une fraternité retrouvée et du dérèglement des passions. Exaltante et étrange atmosphère que celle où une communion intense dans des rêves de bonheur s'accompagne d'une confrontation ininterrompue avec la violence et la mort. Avant que ne survienne, inguérissable, le choc ultime de l'épouvante face à l'innommable de la déportation.

La guerre, la rigueur de l'hiver et la persistance des problèmes de pénurie marquent durement le retour au réel. L'épuration et les excès d'une justice parfois expéditive, ou complaisante, donnent lieu à une exploitation qui révèle des conflits latents de pouvoir. Toutefois, rassemblée pour l'instant autour du général de Gaulle, la nation reconstruit son identité sur les valeurs de la Résistance et de la République.

Au bout d'une longue nuit, l'inconcevable s'est produit. Le 8 mai 1945, à Berlin, cinq ans à peine après l'anéantissement de 1940, la France siège parmi les puissances victorieuses de l'Allemagne nazie.

Notices biographiques

Astier de la Vigerie (Emmanuel d') : né en 1900, officier de marine, journaliste, il fonde en 1940 le mouvement de résistance Dernière colonne, puis Libération-Sud. Membre du CFLN et du GPRF, directeur du journal *Libération*, longtemps considéré comme compagnon de route du PCF, il meurt en 1969.

Basch (Victor) : né en 1863, universitaire, dreyfusard actif, il devient président de la Ligue des droits de l'homme en 1926, joue un rôle important dans la création du Front populaire et dénonce les accords de Munich. Juif d'origine étrangère, socialiste, antifasciste, il représente un des symboles de l'« anti-France » aux yeux des miliciens qui l'assassinent le 10 janvier 1944 avec sa femme Hélène.

Belin (René) : né en 1898, employé des postes, il devient secrétaire général du syndicat national des agents des PTT. Anticommuniste, pacifiste, munichois, il rejoint Vichy et devient ministre de la Production industrielle en juillet 1940. Il quitte le gouvernement en avril 1942 et bénéficie d'un non-lieu à la Libération. Il décède en 1977.

Bergery (Gaston), 1892-1974 : créateur du Parti frontiste, proche de la gauche puis pacifiste et favorable à la collaboration avec l'Allemagne, il joue un rôle important auprès de Pétain dans les premiers mois de Vichy, avant de devenir ambassadeur en URSS et en Turquie.

Bloch (Marc) : cofondateur avec Lucien Febvre de la revue *Annales ESC*. Médiéviste, il est l'un des plus grands historiens de sa génération. Témoin pénétrant des événements de 1940, il entre en résistance et devient un des cadres du mouvement Franc-Tireur. Arrêté par les Allemands, il est fusillé le 16 juin 1944, à 58 ans.

Blum (Léon) : né en 1872, membre du Parti socialiste, hostile à l'adhésion à la 3ᵉ Internationale au congrès de Tours, il devient le grand homme de la SFIO. Président du Conseil en juin 1936, il dirige le premier gouvernement du Front populaire pendant un an. Il vote contre les pleins pouvoirs le 10 juillet 1940, est arrêté et jugé par Vichy au procès de Riom, avant d'être livré aux Allemands et déporté avec sa femme. Il meurt en 1950.

Bousquet (René) : né en 1909, originaire de Montauban, proche de la famille Sarraut et de la gauche radicale du Sud-Ouest, il effectue une brillante carrière préfectorale. Secrétaire général de la police aux côtés de Laval, il joue un rôle déterminant dans la préparation de la rafle du Vél'd'Hiv et dans la collaboration policière avec les occupants. Il est assassiné le 8 juin 1993 par un déséquilibré, au moment de son inculpation pour crime contre l'humanité.

Brossolette (Pierre) : membre de la SFIO, journaliste, hostile à Munich, il entre très vite en résistance puis rejoint Londres où il parle à la radio et occupe des fonctions importantes au BCRA. Il est chargé d'unifier les mouvements de la zone Nord, mais ses conceptions s'opposent à celles de Jean Moulin. Arrêté lors d'une mission, il est identifié et torturé. Il choisit alors de se jeter du cinquième étage de l'immeuble de la Gestapo, avenue Foch, à Paris, le 22 mars 1944.

Daladier (Édouard) : président du Conseil d'avril 1938 à mars 1940, homme fort du parti radical, signataire des accords de Munich* puis partisan de la fermeté face à Hitler, il est arrêté par Vichy en septembre 1940, jugé au procès de Riom, livré aux Allemands et déporté. Réélu député après la guerre, il meurt en 1970, à 86 ans.

Darlan (François) : né en 1881, officier de marine, il est nommé amiral en 1939 et devient ministre du maréchal Pétain, puis chef du gouvernement en février 1941. Il se trouve à Alger au moment du débarquement allié et y exerce un moment le pouvoir, avec l'assentiment des Américains et en maintenant la législation de Vichy, à la grande fureur des résistants. Il est assassiné le 24 décembre 1942.

Darnand (Joseph) : né en 1897, combattant héroïque de la Grande Guerre, militant de l'Action Française, membre de la Cagoule. Officier des corps francs, prisonnier évadé, il crée le Service d'ordre légionnaire (SOL) dans les Alpes-Maritimes et en fait une organisation d'activistes aux méthodes musclées au service du régime. Étendu à l'ensemble de la zone Sud, le SOL devient la Milice en janvier 1943. Darnand en est le chef, tout en rejoignant la Waffen SS à l'été 1943. Membre du gouvernement en janvier 1944, il instaure la terreur milicienne, gagne l'Allemagne à la Libération et se bat contre les partisans italiens avant d'être arrêté. Condamné à mort par la Haute Cour de justice, il est exécuté le 10 octobre 1945.

l'effondrement | la France seule | réalités de la France de Vichy

Delestraint (Charles) : général, chef de l'Armée secrète sous le pseudonyme de Vidal, il est arrêté en juin 1943, peu avant les arrestations de Caluire, sur trahison. Déporté à Dachau, il est sommairement exécuté le 19 avril 1945.

Fabien (Pierre Georges, dit Colonel) : à la tête d'un petit groupe, ce militant communiste abat un officier allemand (l'aspirant Moser) le 21 août 1941, à la station de métro Barbès. Cet attentat donne le signal de la lutte armée à l'intérieur. Commandant d'une brigade FFI, il meurt le 29 décembre 1944 sur le front d'Alsace « *en manipulant des explosifs* ».

Flandin (Pierre-Étienne) : parlementaire, plusieurs fois ministre, pacifiste, il est connu pour ses positions en faveur des accords de Munich*. Il se rallie à Pétain, qui en fait le successeur de Laval en décembre 1940. Les intrigues de Darlan et l'hostilité des Allemands l'écartent du pouvoir dès le mois de février 1941. Condamné à l'indignité nationale en janvier 1946, il reprend une activité politique limitée après l'amnistie. Il meurt en 1958, à 69 ans.

Frenay (Henri) : né en 1905, officier, prisonnier évadé, profondément antinazi, il n'est pourtant pas insensible aux idées du maréchal Pétain pendant les premiers mois. Il fonde et dirige le mouvement Combat qui servira de modèle aux organisations de résistance. Rallié au général de Gaulle il est toutefois en désaccord avec les choix de Jean Moulin. Il siège ensuite au GPRF, se consacre à la défense de l'idée fédérale européenne après la guerre, puis rejoint la société civile. Dans les années 1970, ses ouvrages dénoncent l'action clandestine de Jean Moulin, soupçonné d'avoir été sous influence communiste. Il déclenche de violentes polémiques dans le monde résistant. Il meurt en 1988.

Gamelin (Maurice) : né en 1872, commandant en chef des armées alliées au moment de l'attaque allemande, il est renvoyé le 18 mai 1940, en pleine bataille. Weygand le remplace. Jugé au procès de Riom, il est transféré en Allemagne en mars 1943 et libéré en 1945. Il disparaît en 1958.

Gerlier (Pierre-Marie), 1880-1965 : cardinal archevêque de Lyon, maréchaliste fervent en 1940, il prend progressivement de la distance avec Vichy, proteste avec mesure contre les rafles de l'été 1942 et apporte son aide aux actions de sauvetage des juifs persécutés.

Giraud (Henri), 1879-1949 : général d'armée, prisonnier évadé en avril 1942, homme d'ordre, anticommuniste, il tente d'assurer la transition entre une Résistance appuyée sur l'armée régulière (en Afrique) et le régime de Vichy, dont il approuve le projet politique intérieur. Après avoir bénéficié de l'appui américain et pris ses distances avec Vichy, il est progressivement écarté du pouvoir par les « gaullistes », largement soutenus par les résistants de l'intérieur.

Henriot (Philippe) : né en 1899, ce catholique fervent, proche de la droite extrême, hostile à la République parlementaire, député de la Gironde, il est un polémiste virulent remarquable orateur. Propagandiste de la révolution nationale et de la collaboration, il adhère à la Milice. Membre du gouvernement en janvier 1944, il dénonce avec violence l'action de la Résistance et les menaces de guerre civile dans des chroniques régulières à la radio. Il est abattu par un commando de la Résistance le 28 juin 1944.

Laval (Pierre) : réfugié en Espagne après Sigmaringen, il est livré par Franco aux Américains, qui le remettent à la France. Il est jugé en octobre 1945 et condamné à mort au terme d'un procès expéditif. Réanimé après une tentative de suicide, il est fusillé le 15 octobre 1945.

Leclerc (Philippe de Hauteclocque, dit) : prisonnier évadé en juin 1940, il rejoint Londres , où de Gaulle lui charge de rallier l'Afrique à la France libre. Après un raid légendaire dans le désert il prend Koufra aux Italiens en janvier 1941 et fait sa jonction avec les Anglais à la fin de 1942. Nommé général, il s'attache à former la 2e DB qui débarque en France le 1er août 1944 et joue un rôle décisif dans la libération de Paris. Il libère Strasbourg et participe aux opérations en Allemagne. Il disparaît dans un accident d'avion le 28 novembre 1947 au sud de l'Algérie, à 45 ans. Nommé maréchal à titre posthume.

Levy (Jean-Pierre) : né à Strasbourg en 1911, personnalité discrète, compagnon de la Libération, il est par excellence la figure du « héros modeste ». Il fait de Franc-Tireur l'un des trois grands mouvements de résistance. Il refuse les honneurs après la guerre et devient un grand commis de l'État. Décédé en 1996.

Mandel (Georges) : député de la Gironde, ancien chef de cabinet de Clemenceau, il dénonce dès 1933 le danger hitlérien. Ministre de l'Intérieur dans le gouvernement de Paul Reynaud, hostile à l'armistice, il est interné par Vichy puis remis en novembre 1942 aux Allemands. Ceux-ci le livrent à leur tour à la Milice qui l'assassine le 7 juillet 1944 dans la forêt de Fontainebleau, à 59 ans.

Michelet (Edmond) : né en 1899, catholique, animateur des équipes sociales à Brive, immédiatement hostile à l'armistice, il est un des fondateurs du groupe Liberté. Chef régional de Combat, puis des MUR, il est arrêté le 25 février 1943 et déporté à Dachau. Proche et ministre du général de Gaulle à la Libération et sous la Vᵉ République, il meurt en 1970.

Moulin (Jean) : né à Béziers en 1889, républicain de sensibilité radicale, il est chef de cabinet de Pierre Cot, ministre de l'Air du Front populaire. Préfet d'Eure-et-Loir en 1940 il fait preuve d'une détermination exemplaire face aux Allemands. Révoqué par Vichy, il entre en résistance et gagne Londres en octobre 1941. Investi par le général de Gaulle comme délégué général de la France libre, il accomplit la mission d'unification qui lui a été confiée. Après son arrestation, le 26 juin 1943, il est torturé à Lyon par Klaus Barbie. Il meurt pendant son transfert en Allemagne, sans doute le 8 juillet 1943.

Pétain (Philippe) : il se livre aux autorités françaises en avril 1945. Il est jugé en juillet 1945 et sa condamnation à mort est commuée en détention à perpétuité. Il termine ses jours à l'île d'Yeu où il meurt en 1951, à l'âge de 95 ans.

Reynaud (Paul), 1876-1966 : arrêté en septembre 1940 par Vichy, interné puis déporté en Allemagne

en novembre 1942, il reprend sa longue carrière politique après sa libération.

Salazar (Antonio de Oliveira), 1889-1970 : ce professeur d'économie reste à la tête du Portugal pendant trente-six ans, de 1932 à 1968. Influencé par les idées de Maurras, il établit un régime autoritaire, paternaliste, corporatiste et policier, appuyé sur et par l'Église catholique. Le projet politique de Vichy se serait inspiré de ce modèle.

Weygand (Maxime) : né en 1867 à Bruxelles de parents inconnus. Devenu français par son père adoptif, chef d'état-major de Foch pendant la Grande Guerre, il fait une brillante carrière d'officier. Délégué général du gouvernement de Vichy en Afrique du Nord, après avoir été démis de ses fonctions ministérielles sur ordre des occupants, il est arrêté et transféré en Allemagne. Jugé après la guerre, il bénéficie d'un non-lieu en 1948. Il meurt en 1965.

Zay (Jean) : né en 1904, d'un père juif et d'une mère protestante. Membre du Parti radical, il devient ministre de l'Éducation nationale et de la Culture en 1936, dans le gouvernement de Léon Blum. Arrêté le 15 août 1940, il est emprisonné par Vichy à Clermont-Ferrand, Marseille et Riom. C'est là que trois miliciens viennent le chercher le 20 juin 1944 pour l'assassiner. Son corps ne sera découvert qu'en septembre 1946 par des chasseurs.

Glossaire

Action française : organisation politique créée en 1898, en pleine affaire Dreyfus. En particulier sous l'influence de Charles Maurras, ses idées se développent grâce au quotidien *L'Action française*, fondé en 1908. En revendiquant « *la violence au service de la raison* », le mouvement refuse la légalité républicaine, affirme avec virulence son nationalisme germanophobe, son antisémitisme et son hostilité à la démocratie parlementaire. Devenue pacifiste à la fin des années 1930, *L'Action française*, repliée à Lyon, cesse de paraître en août 1944. Maurras, qui avait salué comme une « *divine surprise* » l'arrivée au pouvoir du maréchal Pétain, est condamné

à la réclusion perpétuelle en 1945. Il est gracié en 1952, année de sa mort.

Chagrin et la Pitié (Le) : à travers la chronique d'une ville de province sous Vichy et l'Occupation – Clermont-Ferrand – le propos du réalisateur Marcel Ophuls est de montrer une France en majorité résignée, acquise à Pétain, complaisante à l'égard des occupants, aux limites de la veulerie. Interdit à la télévision jusqu'en 1981 (arrivée de la gauche au pouvoir), le film, à sa sortie dans les salles en 1971, avait provoqué un choc. Il avait été présenté comme une œuvre de vérité sur les réalités cachées des années noires, en rupture

l'effondrement   la France seule   réalités de la France de Vichy

avec les mythes dominants d'une France autosatisfaite. Jugement que des travaux ultérieurs ont, pour le moins, conduit à nuancer.

Châteaubriant : en octobre 1941, à la suite d'un attentat meurtrier contre le lieutenant-colonel commandant la place de Nantes, les Allemands décidèrent des exécutions massives d'otages : 27 internés politiques communistes du camp de Châteaubriant furent fusillés le 22 octobre. Parmi eux se trouvait le jeune Guy Môquet, âgé de 17 ans. 71 autres otages furent exécutés à Nantes, à Bordeaux (au camp de Souges) et au mont Valérien, soit 98 au total entre le 22 et le 24 octobre. Avec le mont Valérien, Châteaubriant est resté un des symboles du martyrologe de la Résistance.

Grande Peur : insurrection paysanne de juillet 1789, en réaction à des rumeurs (non fondées) qui laissaient croire à la menace de bandes armées à la solde des aristocrates. Dans plusieurs régions, les soulèvements aboutirent à la destruction des symboles du pouvoir seigneurial et des privilèges (châteaux, titres de droits). L'expression a pris le sens de psychose collective provoquée par l'irrationnel de la peur et de la rumeur.

Ligne de démarcation : frontière qui sépare la zone occupée de la zone libre jusqu'à la fin de février 1943. Instituée par l'armistice, elle est sous le contrôle étroit de l'armée d'occupation, et son passage obéit à une réglementation stricte. L'organisation du passage clandestin de la ligne constitue une des premières actions de résistance, dès 1940.

Ligne Maginot : symbole de la stratégie défensive du pays, elle porte le nom du ministre qui s'est attaché à sa réalisation. Elle désigne l'ensemble des fortifications construites par la France, entre les deux guerres, sur sa frontière de l'Est. Techniquement remarquable, jugée infranchissable, elle sera en grande partie prise à revers par les troupes allemandes. Plusieurs unités, appuyées sur les ouvrages fortifiés, résisteront cependant jusqu'à l'armistice.

Mers el-Kébir : base militaire pour la flotte de guerre française en Algérie, dans le golfe d'Oran. Le 3 juillet 1940, l'amiral Gensoul ayant refusé l'ultimatum des Britanniques, qui craignaient de voir les bâtiments français passer sous contrôle allemand, l'escadre britannique de l'amiral Sommerville ouvrit le feu et fit 1 300 morts. La presse de Vichy se déchaîna

et l'État français rompit ses relations diplomatiques avec le Royaume-Uni.

Munich : les 29 et 30 septembre 1938, dans un climat de tension, la conférence de Munich réunit Chamberlain, Daladier, Hitler et Mussolini pour régler la crise germano-tchèque. Le Reich obtient le droit d'annexer le pays des Sudètes (où vit une forte minorité allemande) et la région est occupée par la Wehrmacht dès le début du mois d'octobre. La Tchécoslovaquie est abandonnée par les démocraties et Hitler entre à Prague le 15 mars 1939, en violation des accords signés à Munich. Munich est devenu le symbole du renoncement et de la peur de l'affrontement face à la menace.

Nuit de Cristal : dans la nuit du 9 au 10 novembre 1938, des militants nazis, avec la complicité active des autorités, se livrèrent à un pogrom organisé sur tout le territoire du Reich : 91 morts, des centaines de blessés, 191 synagogues détruites, 7 500 magasins saccagés. Ce déchaînement de violences antisémites fut présenté comme une réaction à l'attentat meurtrier d'un jeune juif (Grynszpan) contre un conseiller d'ambassade à Paris (von Rath).

Pacte germano-soviétique : le 23 août 1939, à Moscou, Molotov pour l'URSS et Ribbentrop pour l'Allemagne signent un pacte de non-agression. En cas de guerre, les deux parties s'engagent à ne pas soutenir l'agresseur de l'un ou l'autre pays. Des accords économiques sont signés et un protocole secret prévoit un partage de zones d'influence : Pologne occidentale et Lituanie pour l'Allemagne, Pologne orientale, Lettonie, Estonie et Finlande pour l'URSS. Hitler a les mains libres pour attaquer la Pologne.

Uriage (École d') : située près de Grenoble, elle est la plus fameuse des « écoles de chefs » instituées par Vichy. Installée en novembre 1940, officialisée comme École nationale des cadres de la jeunesse par une loi de l'État français quelques semaines plus tard, elle devient un centre d'étude et de réflexion pour des « élites » d'origines et de milieux divers. Dirigée par un officier, Pierre Dunoyer de Segonzac, elle accomplit sa mission dans l'esprit de la Révolution nationale. Hostile toutefois à la politique de collaboration, elle prend ses distances avec Vichy et devient un foyer d'opposition à Laval, qui la supprime en décembre 1942. Alors que de nombreux anciens d'Uriage passent à la Résistance, une nouvelle école s'installe au château d'Uriage en 1943 et 1944 : celle des cadres de la Milice.

Indications bibliographiques

Les contraintes de format ne permettent pas de publier une chronologie des événements dont l'utilité va sans dire. Les lecteurs pourront se référer à celles qu'ils trouveront dans plusieurs ouvrages cités ci-dessous. De même, l'impossibilité de donner ici une véritable bibliographie rend toute sélection arbitraire. Les quelques ouvrages cités peuvent servir de base a des explorations plus poussées, ils comportent eux-mêmes des bibliographies conséquentes.

AZÉMA (Jean-Pierre) et BÉDARIDA (François), sous la direction de, *La France des années noires*, 2 tomes, coll. « Points Histoire », Seuil, 2000.

BARUCH (Marc-Olivier), *Le Régime de Vichy*, La Découverte, 1996.

BURRIN (Philippe), *La France à l'heure allemande*, Seuil, 1995.

CONAN (Éric) et ROUSSO (Henry), *Vichy, un passé qui ne passe pas*, coll. « Folio », Gallimard, 1996.

CORDIER (Daniel), *Jean Moulin : la République des catacombes*, coll. « La suite des temps », Gallimard, 1999.

CRÉMIEUX-BRILHAC (Jean-Louis), *La France libre*, coll. « Folio », Gallimard, 2002.

DURAND (Yves), *La France dans la Seconde guerre mondiale*, Armand Colin, 1989.

ECK (Hélène), *Les Françaises sous Vichy : femmes du désastre, citoyennes par le désastre, in* sous la direction de THÉBAUD (Françoise) et PERROT (Michelle), *Histoire des femmes*, tome 5, Plon, 1991.

FERRO (Marc), *Pétain*, `coll « Pluriel », Hachette, 1990.

FROMENT (Pascale), *René Bousquet*, Fayard, 2001.

KEDWARD (Harry Roderick), *À la recherche du maquis. La Résistance dans la France du Sud*, Le Cerf, 1999.

KLARSFELD (Serge), *Vichy-Auschwitz*, 2 tomes, 1983-1985.

LABORIE (Pierre), *L'Opinion française sous Vichy : les Français et la crise d'identité nationale, 1936-1944*, coll. «Points Histoire», Seuil, 2001.

MUEL-DREYFUS (Francine), *Vichy et l'éternel féminin*, Seuil, 1996.

PAXTON (Robert O.), *La France de Vichy*, nouvelle édition, Seuil, 1997.

PESCHANSKI (Denis), *La France des camps*, Gallimard, 2002.

POZNANSKI (Renée), *Être juif en France pendant la Seconde guerre mondiale*, Hachette, 1994.

SÉMELIN (Jacques), *Sans armes face à Hitler, la résistance civile en Europe,1939-1943*, Payot, 1998.

VEILLON (Dominique), *Vivre et survivre en France*, Payot, 1995.

Mémoires, témoignages

BLOCH (Marc), *L'Étrange Défaite*, coll. « Folio », Gallimard, 1990.

GUÉHENNO (Jean), *Journal des années noires*, Gallimard, 1947.

RAVANEL (Serge), *L'Esprit de Résistance*, Seuil, 1995.

RIST (Charles), *Une Saison gâtée : journal de la guerre et de l'Occupation*, Fayard, 1983.

WERTH (Léon), *Déposition : journal, 1940-1944*, Viviane Hamy, 2000.

Responsable éditorial
Bernard Garaude
Directeur de collection
Dominique Auzel
Assistante d'édition
Cécile Clerc
Correction-Révision
Élisée Georgev
Maquette intérieure
Rachel Bisseuil
Iconographie
Anne Lauprète
Conception graphique / couverture
Bruno Douin
Fabrication
Isabelle Gaudon / Magali Martin

Remerciements
Un merci particulier
à Cécile Clerc pour ses conseils
judicieux et sa compétence souriante.

Crédit Photos

p. 3 : © LAPI - Roger Viollet / p. 8 : © Harlingue - Roger Viollet / p. 9 : © US National Archives - Roger Viollet / p. 11 : © LAPI - Roger Viollet / p. 12 : © Isocèle / p. 15 : © LAPI - Roger Viollet / p. 18 : © LAPI - Roger Viollet / p. 22 : *Le Chagrin et la Pitié*, M. Ophuls - © Cat's / p. 25 : © Roger Viollet / p. 27 : © LAPI - Roger Viollet / p. 30 : © LAPI - Roger Viollet / p. 35 : © LAPI - Roger Viollet / p. 36 : © Collection Roger Viollet / p. 42 : © Collection Roger Viollet / p. 48 : © Rue des Archives / p. 50 : © LAPI - Roger Viollet / p. 57 : © LAPI - Roger Viollet / p. 58 : © Roger Viollet

© 2003 Éditions MILAN
300, rue Léon-Joulin,
31101 Toulouse Cedex 9 France
ISBN : 2-7459-0800-6
D. L. février 2003
Aubin Imprimeur, 86240 Ligugé
Imprimé en France